JESÚS TE AMA

OBRAS DE REGIS CASTRO

Raïssa – 2ª edición
Croma – *camino de vida*
Pique
Barby
Rabboni – 2ª edición
Las Manitos de María – 2ª edición
Libro de la Misericordia Divina – 2ª edición
Consejos de Dios para Ti

EN COAUTORÍA CON MAÏSA CASTRO

Jesús Te Ama – 3ª edición
Una Visita de Jesús para Usted (Raquel) – 2ª edición
Curación a través de la Bendición (Bendición sobre bendición) – 3ª edición
Jesús Es Mi Amigo – 2ª edición
La Mano Poderosa de Jesús en Mi Corazón – 2ª edición
Jesús Quiere Sanar Su Vida – 2ª edición
Libro de la Familia – *cura y salvación para ti y tu familia* – 3ª edición
Alabanza – *Ping-pong* – 2ª edición
Rosario de la Liberación – 4ª edición
Amor Eterno – 2ª edición
Testimonios del Rosario de la Liberación

OBRAS DE MAÏSA CASTRO

Tenéis que Nacer de lo Alto
Perseverar en el Amor de Dios – 3ª edición
Promesas de Dios para Ti

Regis Castro
Maïsa Castro

JESÚS TE AMA

3ª edición

Editores: Regis Castro/Maïsa Castro
Directora Editorial: Raïssa Castro Oliveira
Traducción: Fernando Subiñas González
Revisión: Myriam Serey/Rosa Arriagada
　　　　Elena Arriagada/Daška Steel/Vilma A. Albino
Tapa: Júlio Campos
Impresión: R. Vieira Gráfica e Editora Ltda./Campinas/SP

PARA LA GLORIA DE JESUCRISTO NUESTRO SEÑOR. ¡ALELUYA!

Las citas bíblicas fueron extraídas de la *Biblia de Jerusalén.* Bilbao, Editorial Española Desclée de Brouwer.

ISBN 85-85592-43-5 (edición original)
ISBN 85-85592-59-1

Pedidos para:

• **RABONI EDITORA LTDA.**

　Caixa Postal 1792
　CEP 13001-970/Campinas/SP/Brasil
　PABX: 0055-19-242-8433 • FAX: 0055-19-242-8505
　Home page: http://www.raboni.com.br
　e-mail: raboni@raboni.com.br

SUMARIO

INTRODUCCIÓN

Ella tiene el brazo amoratado en varios puntos. Su voz es ronca, triste y apagada. Tiene el rostro escondido. Con la mano vierte un polvo blanco en un poco de agua. Después de colocar en la mesa el papel que contenía el polvo, toma una jeringa y con la aguja va recogiendo la mezcla de agua y polvo; su mano está temblorosa.

La periodista deja de preguntar y la joven, lentamente, lleva la aguja a la mitad del brazo y en la vena ligeramente levantada aplica el contenido de la jeringa.

– ¿Por qué? – le pregunta la periodista entre asustada y condolida.

– No soy amada por nadie. ¡Nadie me ama!

Desde la silla en que me encontraba gritó mi corazón:

– ¡No hagas eso porque... **JESÚS TE AMA!**

Ella no lo oyó, ni lo oiría. La televisión no recibe, sólo transmite imágenes...

* * *

Pero ahora te hablo a ti que lees este libro: **¡JESÚS TE AMA!** Di *no* a la tristeza y al sufrimiento, a la soledad, a los problemas del matrimonio y de la familia; *no* al odio, a las amarguras y resentimientos; *no* a las enfermedades y a la depresión; *no* al miedo y a la tentación; *no* a la debilidad y a las palabras vanas; *no* a las drogas y a los vicios; ¡NO!

7

Precisamente para que conozcas y experimentes el amor de Dios, ponemos en tus manos y en tu corazón el libro *Jesús Te Ama*.

Pedimos a Jesús que, al llegar al final del libro, ni tú, ni aquella joven drogada, ni nadie pueda decir: "¡No soy amado, amada, por nadie!...", sino "¡Jesús me ama! ¡Jesús tiene piedad de mí!"

Éste es un libro de oración y meditación, pautado en la Palabra de Dios. Sugerimos que los textos, todos basados en la Biblia, sean leídos y meditados, y que se procure vivirlos a partir de una apertura cada vez mayor a la acción vivificante del Espíritu Santo.

Creemos verdaderamente que el Espíritu Santo nos inspiró la edición de este libro y oramos al Señor por ti, que lo estás leyendo ahora, para que la Palabra de Dios que presentamos aquí caiga en tu corazón y sea para ti fuente de amor, alegría, salvación, fe en Jesús, paz, bendición, cura física y espiritual, y que a través de la Palabra de Dios llegues a conocer y amar cada vez más a nuestro único Señor y Salvador, Jesucristo.

* * *

Presento con mucho orgullo y amor a mi esposa Maïsa. Veinticuatro años de trabajo literario juntos; como ya lo dije en un prefacio anterior: ¡sin ella nada de esto sería posible! Las oraciones que siguen a las conferencias fueron escritas por ella. ¡Cuánta riqueza y poder de Dios!

Dedicamos este trabajo a nuestros hijos Regis y Gisela, que ya contemplan el rostro del Padre e interceden por nosotros; a Stella, a Raïssa, a nuestro yerno Carlos Augusto y a nuestros nietitos, Ana Carolina y Bruno Augusto, que tanta alegría han traído a nuestra vida.

¡Hijas, nietos y yerno, recibid de nosotros, como herencia, la salvación y la vida, la vida en plenitud en Jesucristo, nuestro Señor!

"Dichosos todos los que temen a Yahvéh,
los que van por sus caminos. [...]
Tu esposa será como una vid fecunda
en el interior de tu casa.
Tus hijos, como brotes de olivo
en torno de tu mesa" (Sal 127,1.3).

Lo dedicamos también a Gentil y Maura, Luiz y Ione – padres y maestros –, con todo nuestro amor y cariño, y a nuestros hermanos de la Comunidade de Aliança Jesus te Ama, por su apoyo e incentivo.

¡JESÚS, SÁLVAME!

"Respondióle Pedro: 'Señor, si eres tú, mándame ir donde ti sobre las aguas.' Él le dijo: '¡Ven!' Bajó Pedro de la barca y se puso a caminar sobre las aguas, yendo hacia Jesús. Pero, viendo la violencia del viento, le entró miedo y, como comenzara a hundirse, gritó: '¡Señor, sálvame!'"

(Mt 14,28-30).

¡Señor, sálvame!

Jesús andaba sobre las aguas, y San Pedro le pidió que le diera el poder de ir hasta Él. Jesús se lo permitió, y San Pedro fue al encuentro del Señor, caminando sobre las aguas. Pero, al redoblarse la violencia del viento, San Pedro tuvo miedo y, comenzando a hundirse, gritó: ¡JESÚS, SÁLVAME!

Quiero decirte lo siguiente para ilustrar lo que la Palabra de Dios acaba de decirnos. Hay muchas circunstancias difíciles por las cuales pasamos en nuestra vida y, por vencerlas, muchas veces llegamos a creer que somos fuertes, victoriosos y sabihondos. Tú y yo tenemos varias de estas historias. Daré un ejemplo contando una de las mías.

Hace muchos años decidí aumentar el tiempo de mi vida de oración por la mañana. Sabía que la mejor hora para orar era muy de mañana y que ésta era la hora que utilizaban mejor los santos para estar en contacto más íntimo con Dios.

Cuando iba a comenzar esta nueva vida de oración, el propósito de rezar chocó con un trabajo bastante agitado, largo y preocupante, que hacía de mañana. Era la compra y venta de acciones en la Bolsa de Valores. Yo preferí la Bolsa y mi vida espiritual no creció; hasta que un día oí que Jesús me decía en el corazón: *"¡Yo quiero la Bolsa!"* Jesús estaba diciendo que quería que yo dejase aquella vida agitada de la mañana y pasara a orar. La decisión fue muy difícil, pues ésta era una parte de mi renta. ¡La Bolsa o la vida!, era la elección.

Yo di la Bolsa y gané la vida, la vida de Jesús en mi corazón – ¡y no me arrepiento!

Por ésta y por otras razones, imaginaba entonces que yo era una persona muy fuerte y valerosa, hasta que un día me vi en una situación igual a ésta de San Pedro. No tenía dónde ni en quién apoyarme.

Vamos a leer nuevamente el versículo 30 para verificar lo que sucedió con San Pedro... y conmigo:

"Pero, viendo la violencia del viento, le entró miedo y, como comenzara a hundirse, gritó: '¡Señor, sálvame!'"

Mi hermano, muchos de nosotros ya hemos pasado por esta experiencia de San Pedro; no teniendo donde apoyarnos, gritamos a Jesús, levantando las manos al cielo: ¡JESÚS, SÁLVAME! ¡JESÚS, SÁNAME! ¡JESÚS, LIBÉRAME!

Jesús nos coloca en estas situaciones, como colocó a San Pedro – y también a San Pablo cuando habla de *"un aguijón a mi carne"* (II Co 12,7) –, para que nuestro orgullo y nuestra autosuficiencia sean destruidos, sean anulados y nosotros no confiemos ya tanto en nuestras propias fuerzas, en nuestra sabiduría, sino pasemos a confiar más en el poder de Jesucristo, nuestro Señor. Y muchas veces gritamos: ¡JESÚS, SÁLVAME!

Cuando así gritamos, Jesús tiene dos actitudes: a San Pedro, Él le extendió la mano y lo sostuvo levantándolo de las aguas, lo colocó nuevamente de pie sobre la dificultad que, en aquel momento, era estar sobre las aguas. Pero en el caso de San Pablo, que le pedía que alejara de él el "aguijón de la carne", Jesús actuó de forma diferente y le dijo:

"Mi gracia te basta, que mi fuerza se muestra perfecta en la flaqueza" (II Co 12,9).

Entonces muchas veces, cuando gritamos: ¡JESÚS, SÁLVAME! ¡JESÚS, SÁNAME! ¡JESUS, LIBÉRAME!, Él nos salva, sana y libera, pero otras veces quiere que estemos más tiempo clamando la misericordia de Dios y confiando en su gracia, porque, si no, nos olvidamos de Aquél que salva, sana y libera. Él nos quiere junto a su corazón porque nos ama, y ¡alabado sea Dios por esto!

Puede ser que ahora estés en una situación de desesperación por una enfermedad, problemas familiares, financieros, en tu matrimonio o en relación con tus hijos. ¿Hagamos entonces una experiencia poderosa del amor de Dios? Voy a pedirte que levantes la mano y digas, como San Pedro (él no lo dijo, sino que gritó): ¡JESÚS, SÁLVAME!

Levanta la mano al cielo, sí, ahora... cierra tu mano en la mano de Jesús y grita, como San Pedro: ¡JESÚS, SÁLVAME! Grita: ¡JESÚS, SÁLVAME! ¡JESÚS, SÁLVAME! ¡JESÚS, SÁLVAME!

¡Es esto lo que debemos hacer, no solamente hoy, sino mañana y todos los días de nuestras vidas!

¡JESÚS, SÁLVAME!

Presta atención ahora a lo que voy a decir; es muy hermoso: muchos hermanos están clamando por salvación, por cura y por liberación, pero ellos no saben que sólo Jesús salva, sana y libera. Jesús, por amor a estos hermanos, quiere hacer de nuestras manos sus manos. Quiere que les extendamos las manos para que ellos, como nosotros, puedan ser salvados. Quiere salvarlos a través de cada uno de nosotros. Ellos no saben a quién clamar por salvación, y nosotros sabemos que sólo Jesús salva, sana y libera; debemos extender nuestras manos hacia ellos y decirles:

En nombre de Jesús, ¡levántate y anda! En nombre de Jesús, ¡sé sanado! En nombre de Jesús, ¡sé libre! Jesús te ama y también nosotros te amamos mucho. ¡Alabado sea el nombre de Jesús!

Cuando proclamo la Palabra de Dios, digo lo que está dentro de mi corazón. No digo lo que he oído hablar, lo que estoy leyendo, sino lo que estoy viviendo en el momento. He sentido esta salvación en mi vida y he recurrido a ella. No solamente en los momentos difíciles... sino en todos los momentos, levanto las manos al cielo y digo: ¡JESÚS, SÁLVAME!

Si Jesús es el Salvador, ¿por qué voy a enfrentar los problemas solo? No voy a enfrentar ya nada solo, ¡no! En todo momento digo: ¡JESÚS, SÁLVAME! No esperaré únicamente los momentos difíciles para decir ¡JESÚS, SÁLVAME! Sí, ¡JESÚS, SÁLVAME! en todo momento, a cada instante, por cualquier problemita que tenga, ahora diré: ¡JESÚS, SÁLVAME!

Es fácil, ¿verdad? Él es mucho más fuerte que yo, en primer lugar. Segundo, tiene más sabiduría que yo. En tercer lugar, fue Jesús quién murió en la cruz por mi salvación. En cuarto, es la Sangre de Jesús la que tiene poder y me libera, perdona mis pecados y vence a satanás. En quinto lugar, yo soy muy débil, muy pequeño, y Jesús es el fuerte, ¿por qué entonces enfrentar mis problemas solo, sin agarrarme de las manos de Jesús?

Ya no esperaré a que sean problemas grandes, ¡no! Cada día, cada momento, extiendo las manos al cielo y digo bien fuerte: ¡JESÚS, SÁLVAME! Procuro hacerlo lejos de los demás, porque nadie va a entender, pero cuando estoy en oración, solo, en mi cuarto, digo muchas veces como San Pedro: ¡JESÚS, SÁLVAME! Y el Señor Jesús viene, sana mi corazón, me salva y me libera.

Bueno, entonces no vamos a esperar más tiempo, ¿verdad? Hazlo ahora, otra vez, levanta la mano y di bien fuerte: ¡JESÚS, SÁLVAME! En cualquier momento, difícil o alegre, busquemos a Jesús para nuestra salvación y para alabarlo y agradecerle por su amor. Acostumbrémonos a usar cada vez más el poder del nombre de Jesús y a tomarnos de sus manos, porque Jesús es poderoso, salvador y nos ama apasionadamente.

Hizo falta mucho tiempo para que yo aprendiera esto. No tiene ninguna gracia que venzamos las dificultades solos. Y además, lo siguiente: ¿Por qué no buscar a Jesús más frecuentemente si Él nos ama y nos quiere libres y sanos en todo nuestro ser?

San Pedro nos indica cómo debemos hacer: gritar dentro de nuestro corazón y, muchas veces, incluso con nuestra boca: ¡JESÚS, SÁLVAME!

Él viene, nos toma de la mano y dice como dijo a San Pedro:

"Hombre de poca fe, ¿por qué has dudado?" (Mt 14,31).

Y ahora escucho a Jesús hablando a mi corazón y a todos nosotros:

"¡Yo estoy siempre contigo! ¡Yo te amo! ¡Yo te amo mucho! Quiero que te salves y lleves esta salvación a todos tus hermanos, porque ellos también, como tú, gritan pidiendo salvación y no saben a quién dirigirse. Tú sabes a quién dirigirte, diles en qué nombre está la salvación, en qué nombre está la cura, en qué nombre está la liberación."

15

Y el nombre que salva, ¡aleluya!, el nombre que sana, el nombre que libera, Dios no lo dio a ningún otro sino a Jesucristo, nuestro Señor. *"Porque no hay bajo el cielo otro nombre dado a los hombres por el que nosotros debamos salvarnos"* (Hch 4,12) a no ser... ¡¡Jesús!! **¡Gloria y loor a ti, Señor!**

ORACIÓN

¡Ven, Señor Jesús, ven! Lávanos en tu Sangre preciosa y llénanos ahora con tu Santo Espíritu para que, unidos a Ti, podamos adorar y glorificar a nuestro Dios que es Padre, es Hijo y es Espíritu Santo.

Hermano mío, ¡Jesús nos ama! Jesús nos ama mucho, y quiere derramar ese amor en nuestro corazón, transformar nuestra vida, pero nosotros debemos tener una actitud de acogida, una actitud de corazón abierto, una actitud de fe. Por eso ahora yo te exhorto a entregar este momento al Señor Jesús. Vamos a unirnos a Él y, junto con Jesús, a adorar a nuestro Dios.

Padre santo, Padre de nuestro Señor Jesucristo, Te amamos, Padre, Te adoramos, Te glorificamos. Tú eres nuestro Dios, Tú eres nuestro Creador. Tú eres el Dios vivo, el Dios eterno, el Dios todopoderoso, y nosotros queremos hoy agradecerte porque nos das a Jesucristo, tu Hijo unigénito, como nuestro Salvador.

Señor Jesús, creemos en Ti. Creemos que Tú eres el Verbo de Dios encarnado, creemos que eres la Segunda Persona de la Santísima Trinidad, creemos que eres el Hijo de Dios. Creemos que Tú eres Dios y Te proclamamos Señor de nuestra vida.

Hoy, Señor, abrimos nuestro corazón y te acogemos como nuestro único y suficiente Salvador. Hoy,

Señor, en tu presencia, queremos renovar todas las promesas de nuestro bautismo y queremos abrirnos enteramente al don de la fe que el Señor colocó en nuestro corazón el día en que fuimos bautizados. Queremos asumir nuestra fe en Ti. Creemos en Ti. Sabemos que estás vivo, y que Tú eres el mismo ayer, hoy y siempre. Sabemos que moriste por nuestros pecados. Sabemos también que resucitaste de entre los muertos, ascendiste al cielo, estás sentado a la derecha de Dios Padre en poder y gloria, y estás presente en medio de nosotros por tu Espíritu Santo.

¡Oh!, Espíritu de Dios, Tú que estás actuando en nosotros ahora, Te amamos, Señor. Nos abrimos a tu acción poderosa en nuestra vida. ¡Ven, Espíritu Santo, ven! ¡Ven, Señor, en nombre de Jesús, ven! ¡Inúndanos de la fe en Jesucristo, nuestro Señor, para que podamos salvarnos, para que podamos vivir la santa Palabra de Dios, y haz de cada uno de nosotros testigos audaces de Jesús vivo, resucitado, glorioso y presente!

Señor Jesús, Dios altísimo, Señor de los señores, Rey de reyes, Dios poderoso del universo, ¡oh, Señor, necesitamos tanto de Ti! Extendemos nuestras manos a Ti en este momento, Señor, y nos entregamos a Ti, en la situación en que estamos. Tú sabes la necesidad de cada uno. Tú sabes la petición, la súplica de cada uno, Señor. Tu conoces a cada persona que, con el corazón abierto, ora y clama tu misericordia. Tú conoces a cada doliente, a cada enfermo, cada corazón angustiado y afligido, a las personas que están tensas y ansiosas, a las familias que sufren porque sus seres queridos están enfermos. Señor, toma nuestras manos. Ellas están extendidas hacia

Ti y nosotros clamamos: ¡Sálvanos, Señor! ¡Sálvanos, Señor! ¡Sálvanos, Señor! Salva a los hogares que se están destrozando; salva, Señor, a los matrimonios en que ya no existe amor ni armonía, ni confianza mutua, ni fidelidad. ¡Oh, Señor! Tú tienes poder para hacer nuevas todas las cosas, porque está escrito: *"El que está en Cristo, es una nueva creación"* (II Co 5,17). **Hoy,** entonces, extiende tus manos y toma en ellas estos hogares, estos matrimonios. Señor, Te presentamos a todos aquellos que están sufriendo en las camas de los hospitales, con intensos dolores en el cuerpo y con tanta angustia en el corazón. Tú eres el Dios todopoderoso, ¡sálvalos, Señor! Sálvalos, Señor Jesús, ahora mismo, con tu poder, con tu misericordia. Extiende tu mano, como la extendiste hacia la suegra de Pedro. Extiende tu mano como la extendiste al leproso que venía hacia Ti buscando cura, y le dijiste: *"Quiero, queda limpio"* (Mt 8,3). Extiende tu mano como la extendiste hacia San Pedro, diciéndole: *"Hombre de poca fe ¿por qué has dudado?"* (Mt 14,31).

Señor, nuestra fe está toda en Ti ahora. ¡Creemos en Ti! Creemos en tu poder y creemos en tu inmenso amor por nosotros. ¡Alabado sea tu santo Nombre por siempre!

Amén y amén.

¡OH, DIOS, TEN COMPASIÓN DE MÍ!

"En cambio el publicano, manteniéndose a distancia, no se atrevía ni a alzar los ojos al cielo, sino que se golpeaba el pecho, diciendo: '¡Oh, Dios! ¡Ten compasión de mí, que soy pecador!' Os digo que éste bajó a su casa justificado y aquél no. Porque todo el que se ensalza, será humillado; y el que se humilla, será ensalzado" (Lc 18,13-14).

San Agustín decía: "¡Temo al Señor que pasa y no vuelve más!" Este temor es el de perder la gracia de Dios que está pasando por nuestra vida y de no atraparla con nuestros brazos, manos y todo nuestro corazón.

Hermano mío, la gracia de Dios está pasando ahora por nuestra vida y quizás no regrese más. Por tanto, es importante que abramos nuestro corazón al poder de la Palabra de Dios y al poder del nombre de Jesús, para que, en Jesús, agarremos fuertemente la gracia que Dios nos está derramando ahora.

Esta semana supe que una joven participante de un grupo de oración tuvo un episodio muy triste en su vida. Un día, en su casa, oyó tres tiros. Corrió al cuarto donde se habían sentido los tiros, y encontró a su hermano tirado en el suelo. Lo agarró por los brazos, hizo que renunciara a su vida de pecado y le suplicó: "Di: ¡Jesús, ten compasión de mí! Repite: ¡Jesús, ten compasión de mí!" Y éstas fueron las últimas palabras del muchacho.

El joven, por medio de su hermana, cumplió lo que Jesús había dicho en su Palabra:

"En cambio el publicano, manteniéndose a distancia, no se atrevía ni a alzar los ojos al cielo, sino que se golpeaba el pecho diciendo: '¡Oh, Dios! ¡Ten compasión de mí, que soy pecador!'" (Lc 18,13).

Y Jesús continúa diciendo:

"¡Os digo que éste bajó a su casa justificado!" (Lc 18,14).

Ya sabemos que si estamos en pecado grave, o hace mucho tiempo que no buscamos el sacramento de la reconciliación, debemos buscar cuanto antes a un sacerdote, para hacer una buena confesión y recibir del Señor Jesús la absolución sacramental de nuestros pecados.

Pero en caso de pecado leve, podemos hacer de la oración del publicano – *"¡Jesús, ten compasión de mí!"* – nuestra oración y seremos inmediatamente lavados en la Sangre de Jesucristo, nuestro Señor. Quien dice esto es el propio Jesús, pues afirma que el publicano fue perdonado. Ahora, en el caso de ese muchacho, a pesar del pecado grave, creemos firmemente que Jesús en su misericordia lo salvó. La Palabra de Dios es la que nos da esta certeza:

"Pues todo el que invoque el nombre del Señor se salvará"
(Rm 10,13).

También supe del fallecimiento de una persona muy conocida a nivel mundial; murió mientras dormía. Yo me pregunté: "Mientras duermo ¿estoy preparado para ir al encuentro del Señor?"

Llegué a la conclusión de que no; porque la Palabra de Dios dice que el justo peca siete veces al día. Esto quiere decir que somos pecadores y... ¿cuántas veces por día pecamos?

Por tanto, necesitamos a cada momento invocar el nombre y la Sangre de Jesús: ¡JESÚS, TEN COMPASIÓN DE MÍ!

Como consecuencia de ese episodio, de ahora en adelante, antes de dormir, hago una confesión de mis pecados y digo: ¡JESÚS, TEN COMPASIÓN DE MÍ! **Lávame con tu Sangre porque, si muero durmiendo, quiero ir a tus brazos.**

¿Verdad que tú también quieres esto? No quieres morir en pecado, ¿verdad? Al dormir, para estar purificados y listos para ir al encuentro de Jesús, es necesario arrepentirnos de nuestros pecados y pedir: ¡JESÚS, TEN COMPASIÓN DE MÍ!

El otro día me sucedió un hecho interesante: quedé un poco resentido con una persona – evidentemente, no debía estar resentido, pero de hecho lo estaba – y pensé: "Si Jesús me llamara ahora, ¿cómo me voy a ir para el cielo estando así resentido? ¿De qué manera podré presentarme a Dios Padre con el corazón manchado?" Sentí vergüenza de imaginarme mirando a Dios así. Y me di cuenta de que tenía que perdonar a esa persona antes de dormir y tenía también que pedirle perdón. Invoqué la misericordia de Dios, la Sangre de Jesús, y dije: ¡JESÚS, TEN COMPASIÓN DE MÍ!

¡Esta experiencia es válida también para ti! Necesitamos en todo momento estar preparados para ir al encuentro de Jesús, porque como Él mismo dice:

"Velad, pues, porque no sabéis ni el día ni la hora"
(Mt 25,13).

Es importante que hagas, al dormir, como lo he hecho yo, esta oración de reconciliación con Jesús. ¿No es una buena idea? Éste es el momento oportuno, éste es el momento de la salvación. El Señor nos dice en su Palabra:

"En el tiempo favorable te escuché y en el día de salvación te ayudé. ¡Mirad! ahora es el tiempo favorable, ahora el día de salvación" (II Co 6,2).

En el Evangelio de San Lucas leemos el pasaje del ciego de Jericó:

"Al oír que pasaba gente, preguntó qué era aquello. Le informaron que pasaba Jesús el Nazareno" (Lc 18,36-37).

Así como pasaba en la vida de aquel ciego de Jericó – presta mucha atención –, Jesús de Nazaret está pasando ahora en tu vida. Aprovecha esta oportunidad: arrepiéntete de tus pecados, reconcíliate con Dios y ora: **¡JESÚS, TEN COMPASIÓN DE MÍ!** Ora cada día, a cada momento y a cada instante de tu vida.

Nosotros somos igualmente pecadores y la Palabra de Dios nos dice:

"Si decimos: 'No tenemos pecado', nos engañamos y la verdad no está en nosotros" (I Jn 1,8).

Necesitamos estar siempre reconciliados con Jesús, porque nadie sabe el día ni la hora en que Él vendrá; y para que la gracia de Dios sea cada vez más abundante en nuestra vida, y para que a través de nosotros ella pueda llegar a nuestra familia, a nuestros amigos, nuestro ambiente profesional y nuestro ambiente social.

Esto es lo que necesitas clamar siempre: **¡JESÚS, TEN COMPASIÓN DE MÍ!**

En la tristeza, di: **¡JESÚS, TEN COMPASIÓN DE MÍ!**

En el sufrimiento: **¡JESÚS, TEN COMPASIÓN DE MÍ!**

En la soledad: **¡JESÚS, TEN COMPASIÓN DE MÍ!**

En los problemas de matrimonio: **¡JESÚS, TEN COMPASIÓN DE MÍ!**

En los problemas con los hijos: **¡JESÚS, TEN COMPASIÓN DE MÍ!**

En los problemas de trabajo: **¡JESÚS, TEN COMPASIÓN DE MÍ!**

Cuando haya odio, amargura, resentimiento: ¡JESÚS, TEN COMPASIÓN DE MÍ!

En la alegría: ¡JESÚS, TEN COMPASIÓN DE MÍ!

En la paz: ¡JESÚS, TEN COMPASIÓN DE MÍ!

En la depresión: ¡JESÚS, TEN COMPASIÓN DE MÍ!

En las dificultades familiares: ¡JESÚS, TEN COMPASIÓN DE MÍ!

En las dificultades financieras: ¡JESÚS, TEN COMPASIÓN DE MÍ!

Cuando todo esté bien: ¡JESÚS, TEN COMPASIÓN DE MÍ!

Al levantarte, despierta sonriente, y di: ¡JESÚS, TEN COMPASIÓN DE MÍ!

Cuando tengas miedo en el corazón: ¡JESÚS, TEN COMPASIÓN DE MÍ!

Cuando tu pensamiento no sea del Señor, ora: – ¡JESÚS, TEN COMPASIÓN DE MÍ!

Cuando seas tentado por el enemigo, por satanás, clama: ¡JESÚS, TEN COMPASIÓN DE MÍ!

Cuando caigas en pecado: ¡JESÚS, TEN COMPASIÓN DE MÍ!

En la debilidad, y cuando pienses que eres fuerte: ¡JESÚS, TEN COMPASIÓN DE MÍ!

En las tentaciones, grandes y pequeñas: ¡JESÚS, TEN COMPASIÓN DE MÍ!

Diez, cien, millares de veces al día: ¡JESÚS, TEN COMPASIÓN DE MÍ! ¡JESÚS, JESÚS, JESÚS, TEN COMPASIÓN DE MÍ!

Esta oración nos da una fuerza fantástica, nos hace erguer la cabeza y vencer a satanás. Vencemos la tentación, no con nuestra sabiduría, no con las filosofías, no con nuestro poder, que es pequeño y falible, sino con el poder del nombre y de la Sangre de Jesucristo, nuestro Señor. ¡Aleluya!

Y ¿sabes? cuando vencemos con Jesús las tentaciones, sucede en nuestras vidas justamente lo que sucedió en la vida de Jesús. Al ser tentado por el demonio, después de cuarenta días de ayuno, Jesús venció a satanás. Dios envió entonces a sus ángeles a servirle. Lo mismo sucede con nosotros: después de ser tentados, Dios envía a sus ángeles a confortar nuestro corazón y a alegrar nuestra vida.

"En cambio el publicano, manteniéndose a distancia, no se atrevía ni a alzar los ojos al cielo, sino que se golpeaba el pecho, diciendo: '¡Oh, Dios! ¡Ten compasión de mí, que soy pecador!'" (Lc 18,13).

Yo dije y repito: este texto tiene el poder de cambiar nuestro corazón y nuestra vida. Lo que escribí fue justamente lo que Jesús dijo: que aquel publicano volvió a casa justificado.

¿También tú quieres ser justificado? ¿También quieres ser perdonado, verdad? Entonces, haz como este publicano, arrepiéntete de todo corazón y di, como él: ¡SEÑOR, TEN COMPASIÓN DE MÍ, QUE SOY PECADOR!

ORACIÓN

¡Gloria y loor a Ti, Jesús! Te agradecemos, Te alabamos y Te bendecimos por el poder de tu Palabra. Te bendecimos, Señor Jesús, por el poder de tu compasión y de tu misericordia. Queremos glorificarte, Señor, porque nuestro corazón está más leve, porque fue lavado en tu Sangre preciosa.

Ahora que nos hemos arrepentido de nuestros pecados y oramos con toda fe – ¡Jesús, ten compasión de nosotros! ¡Jesús, ten compasión de nosotros! ¡Jesús, ten compasión de nosotros! ¡Jesús, ten compasión de nosotros! –, nuestro corazón está alegre, lleno de alabanza, de gratitud y de la gracia de Dios.

Nos aferramos a esta gracia que derramas ahora en nuestra vida, ¡Señor! y no la dejamos pasar sin que produzca fruto en nuestra vida y en nuestra familia. Y esto es motivo de alabanza y agradecimiento. Es motivo para decir: ¡Jesús, cuánto nos amas, y cuán poco Te amamos, Señor!

Nos comprometemos, de hoy en adelante, Contigo, Señor, a proclamar cada día y cada hora, más y más: ¡Alabado y bendito sea tu nombre!

¡Bendito el que viene en nombre del Señor!

Bendito el nombre que nos salva, sana y libera: Jesús.

Bendita sea también tu Sangre, que tiene el poder de lavarnos y de purificarnos de todo pecado y de todo mal.

¡Amén, Jesús! ¡Gloria a Ti, Señor!

Seguramente tú, esta noche también, antes de acostarte, te reconciliarás con Dios, ¿verdad? Pero no vamos a esperar hasta la noche. ¿Por qué no ahora mismo, por qué no ahora, cuando la Palabra de Dios nos ha sido proclamada? ¿Vamos a arrepentirnos y a reconciliarnos con Dios a través de Jesús?

¡Vamos!... suspende la lectura... y comienza ahora mismo: Yo me confieso pecador, Señor Jesús. He pecado...

"¡Oh, Dios! ¡Ten compasión de mí, que soy pecador!"
(Lc 18,13).

Y Jesús exaltó la humildad del publicano y confirmó su salvación y la nuestra. ¡Aleluya!

"Os digo que éste bajó a casa justificado" (Lc 18,14).

ORACIÓN

¡Ven, Señor Jesús, ven, Señor! ¡Ven con tu amor, ven con tu poder, ven con tu Espíritu Santo e inunda nuestro corazón con tu presencia!

Hermano mío, este momento pertenece a Jesús. Este momento es tuyo y de Jesús. Por esto te exhorto ahora a ponerte en la presencia de Jesús. ¡Jesús está vivo y te ama! Y todos nosotros vamos, unidos en una sola fe, en un solo bautismo, en un solo Espíritu, a adorar a nuestro Dios.

Padre santo, Padre eterno, Padre de nuestro Señor Jesucristo, Padre creador, Padre nuestro del cielo, Te amamos, Te adoramos, Te bendecimos porque Tú eres santo, porque Tú eres el Creador, porque Tú eres el Altísimo, porque Tú eres la Vida misma. Te amamos, ¡oh, Dios!, porque Tú eres nuestro Padre. Te amamos, ¡oh, Padre!, porque nos salvas de la condenación eterna mediante la Sangre de Jesucristo, tu Hijo amado.

Te adoramos, Jesús, Verbo de Dios, Segunda Persona de la Santísima Trinidad, Dios encarnado, nuestro Salvador, nuestro Redentor, nuestro Señor. A Ti, toda alabanza, toda honra, toda gloria. Bendito sea tu nombre, bendita sea tu Sangre, bendita sea tu santa Palabra.

¡Oh!, Espíritu de Dios, Espíritu consolador, Abogado nuestro, Paráclito, Amigo, Te amamos, Te adoramos.

Tú que habitas nuestro corazón, bendito seas por siempre. Tú que eres la verdad y que das testimonio de Jesucristo resucitado dentro de nosotros, recibe ahora todo honor, toda alabanza y toda gloria.

¡Oh!, Padre eterno, Te agradecemos por este momento en el cual tu gracia está fluyendo a través de Jesucristo, hacia nuestro corazón, hacia nuestra alma, hacia nuestra vida en la fuerza de tu Espíritu Santo. Sé Tú bendito en toda la tierra. Que nuestras rodillas se doblen delante del nombre santo de Jesucristo. Que nuestra lengua proclame el señorío de Jesucristo en nuestra vida. Alabado y bendito seas, Señor, por siempre.

Jesús, en este momento nos acercamos a Ti. Señor, quédate con nosotros y ten compasión de nosotros. Ahora queremos, Jesús, invocar sobre nosotros el poder y la fuerza de tu Espíritu Santo.

¡Ven, Espíritu Santo, ven, Señor! ¡En el nombre de Jesús, ven! Trabaja en nuestro corazón. Ven, Espíritu Santo, y danos el conocimiento de cuán pecadores somos, de cuánto necesitamos la salvación en Jesucristo. Concédenos la comprensión de cuánto hemos ofendido a Dios con nuestros pecados. Danos un conocimiento más profundo de nosotros mismos, de nuestras debilidades, nuestras limitaciones, nuestras faltas, nuestros pecados, y concédenos, en nombre de Jesucristo, un profundo arrepentimiento. Rompe nuestro corazón y danos un corazón arrepentido, un corazón humillado por causa de nuestros pecados. Espíritu Santo, Te pedimos que nos concedas también la experiencia profunda de la necesidad que tenemos de Jesucristo como nuestro único Señor y único Salvador. Y ahora concédenos el que nos podamos acercar al trono de la gracia del Señor Jesús y, postrados ante el Señor, podamos clamar:

¡JESÚS, TEN COMPASIÓN DE NOSOTROS!

Ten misericordia de nosotros, porque somos pecadores.

Ten compasión de nosotros, porque somos débiles.

Ten compasión de nosotros, porque somos vacilantes en la fe.

Ten compasión de nosotros, porque hemos traicionado tu amor.

Ten compasión de nosotros, porque hemos sido desobedientes a tu Palabra.

Ten compasión de nosotros, porque hemos sido infieles a tus mandamientos.

Ten compasión de nosotros, porque hemos abrigado odio, resentimiento, amargura y venganza en nuestro corazón.

Ten compasión de nosotros, porque muchas veces hemos pactado con las tinieblas.

Ten compasión de nosotros y ten compasión de nuestros pecados.

Ten compasión, Señor, de nuestros descarríos.

Ten compasión, Señor, cuando buscamos salvación, cura, conocimiento, solución de nuestros problemas en lugares condenados por tu Palabra.

Ten compasión de nosotros, porque somos un pueblo pecador.

¡Misericordia, Jesús! ¡Lávanos en tu Sangre!

¡Ten compasión de nosotros! ¡Perdónanos, Señor! Compadécete de nosotros que clamamos por tu misericordia. Lávanos en tu Sangre, Señor, pues creemos en el poder redentor de esta Sangre. ¡Lávanos, Señor! Lava nuestro corazón, nuestra mente, nuestra vida. ¡Lava a nuestra familia, Señor! ¡Lava nuestro hogar! Lava nuestra ciudad, nuestra nación, el mundo entero con el poder redentor de tu Sangre. ¡Creemos en Ti! ¡Quédate con nosotros, Jesús! ¡Quédate con nosotros! Concédenos hoy la vida de la gracia. Concédenos hoy tu paz, tu amor, la victoria sobre el pecado, la certeza de la salvación. ¡Que nuestro corazón exulte de alegría en tu Espíritu, oh, Señor!

¡En nombre de Jesús Te pedimos, Padre santo, el don de tu Espíritu!

¡Ven, Espíritu Santo!

¡Ven, Espíritu de Jesús resucitado!

Ven, Espíritu de amor, de paz, de alegría, de unidad, de vida. Sopla sobre nosotros para que vivamos una vida nueva en comunión con nuestro Señor Jesucristo.

Ven, Espíritu de Dios, y actúa en medio de nosotros por el nombre glorioso de nuestro Salvador Jesucristo.

¡Ven, Espíritu de Dios, y levanta a los muertos, ahora!

Levanta a aquéllos que están muertos en su espíritu y dales la vida en Jesucristo, nuestro Señor.

Ven, Espíritu Santo, y restaura los matrimonios.

Ven, Espíritu Santo, y sana a las familias.

Ven, Espíritu Santo, y libera a los cautivos de satanás, en el nombre poderoso de Jesucristo. Libera a nuestros hermanos que están prisioneros de los vicios, a los drogadictos, a los esclavizados por la impureza, el sexo, el pecado.

Ven, Espíritu Santo, en nombre de Jesús, con el poder de Jesús resucitado, y sana ahora, Señor, los cuerpos enfermos.

Oh, Señor, son tantos los que en este momento claman por Ti. Son tantos los que Te están presentando sus dolores y enfermedades... y, juntos, clamamos una vez más:

¡Señor, ten compasión de nosotros! ¡Ten compasión de nosotros! ¡Misericordia, Señor!

Creemos en Ti, ¡oh, Dios!, y en nombre de Jesús Te damos toda nuestra alabanza.

Amén y amén.

¡VELEN Y OREN!

3

"Velad y orad, para que no caigáis en tentación; que el espíritu está pronto, pero la carne es débil" (Mc 14,38).

Antes de hablar de este texto quiero decirte que mi corazón está lleno del amor de Dios; y cuando nuestro corazón está lleno del amor de Dios, este amor se extiende a los hermanos. Quiero, especialmente en esta charla, que tengas la experiencia viva, poderosa y transformante de que eres amado por Dios Padre, a través de Jesucristo, nuestro Señor.

Jesús te ama vehementemente y, en este momento, te digo que también mi corazón está lleno de amor por ti. A causa de este amor, quiero contarte una experiencia fascinante que viví.

Un día, orando, tuve una visión – con los ojos de la fe, naturalmente. Vi a María con el Niño Jesús en su regazo, y de repente ella colocó al Niño Jesús en mis brazos. Jesús-criatura me inundó de amor, de esperanza, de alegría y de mucha paz. Me quedé sin pensar en nada, solamente con aquella sensación del gusto de ser amado por Jesús. Después de un buen rato de silencio y de encuentro con el Señor, pregunté en oración a María:

– ¿Qué hago ahora, cuando Jesús está en mis brazos y en mi corazón?

Y María respondió:

– ¡Ponlo en brazos de los demás hermanos!

Atiende a lo que dijo María: "¡Pon a Jesús en brazos de los demás hermanos!"

Esto es precisamente lo que quiero hacer ahora: recibe de mis brazos, espiritualmente, al Niño Jesús en tus brazos, y adóralo.

¡Alabado y bendito sea Jesús por esta experiencia de su amor!

Sí, recibe a Jesús en tus brazos. Jesús-niño, Jesús-paz, Jesús-salvación, Jesús-criatura, Jesús-alegría, Jesús... ¡el amor de Dios! Y que tengas, como yo, esta fantástica experiencia de ser amado por Jesús.

¡Gracias, Señor!

"Velad y orad, para que no caigáis en tentación; que el espíritu está pronto, pero la carne es débil" (Mc 14,38).

"Siempre en oración y súplica, orando en toda ocasión en el Espíritu, velando juntos con perseverancia e intercediendo por todos los santos" (Ef 6,18).

Me gustaría que prestaras atención. Quien nos está hablando es Jesús y, después de Jesús, San Pablo:

"Velad y orad, para que no caigáis en tentación"
                                        (Mc 14,38).

El espíritu muchas veces está pronto, pero nuestra carne es muy débil. Y necesitamos poner un freno a nuestra carne: lengua, cuerpo y mente. Este freno viene a través de la vigilia, de la oración y de la Palabra de Dios. San Pablo afirma:

"Siempre en oración y súplica, orando en toda ocasión en el Espíritu" (Ef 6,18).

Y el mensaje que quiero darte hoy – además, claro, de la experiencia fascinante de estar con el Niño Jesús en los brazos – es éste:

¡VELAD Y ORAD!

No estamos velando y orando como deberíamos; ¿quieres verlo?

Muchas personas nos buscan y reciben de Jesús la cura espiritual y, muchas veces, también la cura física. Reciben la paz, la alegría, la salvación, el amor y la vida de hijos de Dios. Estas personas tienen una rápida mejoría, tanto espiritual como física ¡Gloria a Dios! Sorprendentemente algunos días después caen en las mismas faltas y flaquezas y nuevamente vuelven en busca de oración. Es bueno que busquen oración, pero por estar continuamente débiles, se ve que algo ocurre en sus vidas que no está bien.

Quizás sea tu caso; y podrías preguntarte: "¿Por qué me está pasando esto?"

Jesús te da la respuesta: *¡Velad, velad y orad!*

Si pides y obtienes cura y liberación de Jesús y después siempre tienes que volver a pedir, es porque todavía no has asumido una vida de oración. Todavía no has asumido la lectura y meditación diaria de la Palabra de Dios. Todavía no participas de la Eucaristía, el Cuerpo y la Sangre vivos de Jesús en la misa, si es posible, diariamente. Todavía no tienes oración personal:

"Tú, en cambio, cuando vayas a orar, entra en tu aposento y, después de cerrar la puerta, ora a tu Padre que está allí, en lo secreto; y tu Padre, que ve en lo secreto, te recompensará" (Mt 6,6).

Todavía no vas con frecuencia a un grupo de oración para alabar, cantar y participar de los testimonios de los hermanos, que enriquecen nuestra vida espiritual. No te olvides del consejo de San Pablo:

"Siempre en oración y súplica, orando en toda ocasión en el Espíritu" (Ef 6,18).

¡Ora más, hermano mío! Asume delante de Dios el compromiso de fidelidad a la vida de oración que el Señor propone. Haz esto ahora, diciendo al Señor y a ti mismo: "A partir de hoy voy a intensificar mis oraciones, a frecuentar la misa, y con el poder del Espíritu Santo leer y vivir la Palabra de Dios; y no voy a faltar más al grupo de oración."

Si no hacemos esto, ¿sabes lo que le pasará a nuestra vida? Justamente lo contrario de lo que Jesús está diciendo. Él dice: *"Velad y orad, para que no caigáis en tentación."* Si no velamos, si no oramos, ciertamente caeremos en tentación, y esto será motivo de mucho sufrimiento, no solamente para nosotros sino también para nuestra familia.

¡VELAD Y ORAD!

¡Intensifica tu vida de oración! ¡Aumenta el tiempo de lectura de la Palabra de Dios! Si no oras, es porque no quieres, es porque tienes otras cosas más importantes que una vida de profunda comunión con Dios Padre, Hijo y Espíritu Santo.

Perseverando en la lectura de la Palabra de Dios, en la Eucaristía, en el grupo de oración, en la oración personal, y con el corazón lleno del amor de Dios y de la presencia de Jesús, tengo la seguridad de que María te dirá a ti como me lo dijo a mí: "¡Ahora pon al Jesús-criatura, al Niño Jesús en los brazos de los demás hermanos!"

ORACIÓN

Dios Padre, en nombre de Jesús y por la intercesión de María, te pido que esta experiencia de tener a

Jesús-niño en los brazos traiga calor a nuestro corazón y nos dé paz, alegría, salvación, vida y amor, y no solamente hoy, sino todos los días de nuestra vida. Dios Padre, Tú permitiste que María colocara al Niño Jesús en nuestros brazos, y ahora con nuestro corazón ardiente por su amor, danos la gracia de que, rebosando en este amor, extendamos las manos y coloquemos a Jesús en los brazos de nuestros hermanos.

Amén.

No olvidaremos nunca esta experiencia. Y ojalá tengas hoy también otros momentos intensos por la presencia de Jesús en tus brazos: el Niño Jesús sonriente, el Niño Jesús paz, el Niño Jesús que sana el corazón, el Niño Jesús que nos da fuerza para conocer y vivir la Palabra de Dios, el Niño Jesús que nos hace ponernos de pie, con la cabeza erguida, sin mirar para atrás, confiados en la esperanza, en la fe y en su amor.

Y no te olvides también hoy de extender tus brazos y colocar a Jesús en los brazos de los hermanos que crucen por tu camino, diciéndoles: ¡JESÚS TE AMA Y YO TAMBIÉN TE AMO MUCHO!

¡Gracias, Señor!

¡Ven, Señor Jesús; ven, Señor! Ven con tu poder, ven con tu amor e inunda nuestro corazón falto de Ti, falto de vida, falto del sentido de la existencia.

Hermano mío, éste es el momento esperado para estar en unión con el Señor por la oración. Entonces, te invito ahora y te exhorto a que entregues estos minutos al Señor Jesús. Él es el Señor. Serán apenas unos pocos minutos, pero ellos deben ser totalmente del Señor. Sumérgete en la oración, encuentra a Jesús en lo más profundo de tu corazón.

Él está allí. Tú lo recibiste el día de tu bautismo. Él vive en ti. Quizás no le hayas dado a Jesús muchas oportunidades de manifestarse en tu vida, ¿verdad? Pero hoy es un momento de encuentro con Jesús; Él quiere manifestarse en tu corazón. Por eso colócate en la presencia de Dios vivo, Jesús resucitado. Imagina a Jesús con las manos extendidas sobre tu cabeza, tocándote para bendecirte. Siente el amor de Jesús fluir hacia tu corazón, y con Jesús vamos a adorar a nuestro Padre del cielo.

¡Padre santo, Padre de nuestro Señor Jesucristo, nos postramos ante Ti, oh, Padre! ¡Nos inclinamos delante de Ti porque eres nuestro Dios, Tú eres el Altísimo, Tú eres el Creador, Tú eres la Vida, Tú eres el Dador de la vida! Nosotros Te amamos, Padre, y Te agradecemos porque nos llamaste a la existencia. Te amamos y Te alabamos porque además de la vida biológica nos has dado la vida espiritual en Jesucristo, tu Hijo amado. Te agradecemos, ¡oh, Padre!, por el amor que nos concedes a través de Jesucristo. Te agradecemos, Padre, porque encontramos este amor en tu Palabra, que está viva, que nos consuela, que nos fortalece, que nos edifica. Te agradecemos, Padre, porque tu Espíritu Santo habita en nuestro corazón. Somos templos de Dios. El Espíritu de Dios está en nosotros. Te alabamos, Padre, porque podemos sentir tu amor a pesar de nosotros mismos. A pesar de nuestra miseria, de nuestro pecado, de nuestra flaqueza, de nuestra nada, Tú nos amas, Padre. Muchas gracias. Alabado seas por este amor infinito que da sentido a nuestra existencia.

Querido Jesús, Tú eres nuestro Señor, Tú eres nuestro Salvador. Te queremos tener en nuestros

brazos, queremos ser inundados de tu amor, queremos saborear este amor.

¡Oh, Espíritu Santo de Dios!, Tú que eres fuerza, Tú que eres poder, ven ahora, Señor, rompe y aniquila dentro de nosotros todas nuestras resistencias interiores y todas las barreras que levantamos al amor de Dios. Ven, Espíritu Santo, y realiza tu obra profunda de conversión y de salvación dentro de nosotros, alrededor de nosotros, a través de nosotros, en nuestros hogares, en nuestras familias, ambiente de trabajo, parroquias, ciudades, en nuestro país, en el mundo entero. Ven, Espíritu Santo de Dios, renueva la faz de la tierra renovando el corazón de los hombres y trayendo a Jesús vivo a cada uno. Ven, Espíritu Santo, y concédenos la gracia, la fuerza, la capacidad, el poder para ser canales transmisores de Jesús, para que podamos entregar a Jesús a los demás, para que podamos dar a Jesús al mundo. Ven, Espíritu Santo, y haz brillar tu luz divina en nuestro corazón, en nuestra vida. Ven a transformarnos, ¡oh, divino Huésped del alma, ven a habitar libremente en nuestro corazón! Ven a guiarnos, ven a dirigirnos.

¡Oh, Jesús!, nosotros Te amamos. Creemos en Ti, creemos que estás con nosotros, creemos que Tú eres el divino Amigo, que estás muy cerca de nosotros, que tienes misericordia y eres solidario con nosotros en los momentos de aflicción y sufrimiento. Jesús, con toda esta confianza es como llegamos a Ti y en tu presencia queremos orar por todos los hermanos enfermos, por todos los hermanos que están tan faltos de tu amor. Queremos darte a los hermanos y Te pedimos que vayas ahora al corazón de cada uno, particularmente a los corazones más endurecidos, a los corazones más sufridos, a los corazones incrédulos, a los corazones más distantes de Ti. Inúndalos con tu luz de resurrección, con tu luz de amor, de paz, de vida, de esperanza y de alegría, Señor. Son tantos los que están enfermos del alma, tantos los que carecen de salvación porque no Te conocen. Te pedimos, Jesús, que tu Calvario se vuelva una realidad para cada uno de nosotros y que, ante tu Calvario, ¡cada uno pueda encontrarse, entregarse a Ti y recibirte como Señor y Salvador!

¡Alabado y bendito seas por siempre!

Amén y amén.

CON JESÚS Y CON MARÍA NADA TEMO

4

"Pero ¡gracias sean dadas a Dios, que nos da la victoria por nuestro Señor Jesucristo!" (I Co 15,57).

Di con fe: ¡CON JESÚS Y CON MARÍA NADA TEMO!

Ahora proclama con el corazón: ¡CON JESÚS Y CON MARÍA NADA TEMO!

¡Gloria a ti, Señor Jesús!

¡Gracias sean dadas a Dios! ¡Alabado sea Dios, porque el amor, la gracia y la salvación son obras de Dios en nuestra vida por medio de Jesucristo, nuestro Señor.

¡La victoria es nuestra! La victoria sobre la muerte, sobre el pecado, las enfermedades, las tristezas. ¡Nosotros somos vencedores! En Jesús, somos hijos amados de Dios Padre. En Jesús somos poderosísimos. Tenemos el poder y la fuerza dentro de nosotros; tenemos el mayor poder que existe en los cielos, en la tierra y en los infiernos: "La victoria es nuestra, por Jesucristo, nuestro Señor, y gracias sean dadas a Dios Padre por esto" (cita libre de I Co 15,57).

Muchos de nosotros nos creemos fuertes, pero somos débiles, muy débiles, pequeños y pecadores.

El otro día, oyendo a una persona, sentí que, por haber vencido algunas pequeñas dificultades, se creía muy fuerte. ¿Quizás también tú te crees fuerte?

Nadie es fuerte, ni yo, ni tú... ni San Pablo era fuerte. Leamos una respuesta de Jesús a San Pablo:

"Mi gracia te basta, que mi fuerza se muestra perfecta en la flaqueza" (II Co 12,9).

Y San Pablo concluyó:

"Por tanto, con sumo gusto seguiré gloriándome sobre todo en mis flaquezas, para que habite en mí la fuerza de Cristo. Por eso me complazco en mis flaquezas, en las injurias, en las necesidades, en las persecuciones y las angustias sufridas por Cristo; pues, cuando estoy débil, entonces es cuando soy fuerte" (II Co 12,9-10).

¿Sabes por qué no somos fuertes para vencer el mal?

"Porque nuestra lucha no es contra la carne y la sangre, sino contra los Principados, contra las Potestades, contra los Dominadores de este mundo tenebroso, contra los Espíritus del Mal que están en las alturas" (Ef 6,12).

Quien nos dice esto es nuevamente San Pablo, y esas fuerzas espirituales del mal son más fuertes que nosotros. Sin Jesús no tenemos poder para vencer las fuerzas espirituales del mal que están en el ambiente.

Hace muchos años que, en la oración personal, escucho a Jesús diciendo en mi corazón: *"¡Mantente unido a Mí, pues Yo, Jesús, estoy contigo!"*

Si nos mantenemos unidos a Jesús, bien juntos a Jesús, pegados a Jesús, aferrados a la mano de Jesús, podremos hablar como aquel hijo que, al estar aferrado a la mano de su padre, se siente valeroso y dice: "¡Nadie puede contra la fuerza de mi padre!"

El Padre de Jesucristo y Padre nuestro es el poder más grande que existe en el cielo, en la tierra y en los infiernos, y este poder lo delegó Él al nombre de Jesús. Y, como San Pablo, podemos en Jesús dar gracias a Dios que nos da la victoria sobre el mal y el pecado.

"Pero ¡gracias sean dadas a Dios, que nos da la victoria por nuestro Señor Jesucristo! " (I Co 15,57).

Somos vencedores hoy, mañana y siempre con Jesús y por Jesús. No hay poder más grande que aquél que está en el nombre de Jesucristo. ¡Aleluya! ¿Miedo de qué?

¡CON JESÚS Y CON MARÍA NADA TEMO!

Jesús es nuestra victoria, nuestra salvación y liberación.

"¿De dónde vendrá mi auxilio? Mi auxilio, de Yahvéh, que hizo cielos y tierra " (Sal 120,1-2).

Podemos bailar, podemos saltar, podemos alegrarnos como hizo David en presencia del arca de la alianza, pues, *"lo que ha conseguido la victoria sobre el mundo es nuestra fe"* (I Jn 5,4).

¿No es hermoso esto? Esta es la victoria que vence al mundo: nuestra fe en Jesús. Victoria sobre las fuerzas del mal, sobre el pecado, sobre las tristezas, sobre las enfermedades, sobre la depresión. Victoria para todos aquellos que, como Jesús dijo en mi oración, se mantienen unidos a Él.

¿Y tú? Ahora te pregunto, directamente a tu corazón: ¿estás venciendo? ¿Estás con la victoria en la mano y en el corazón?

¡CON JESÚS Y CON MARÍA NADA TEMO!

Todavía hay tiempo para que te conviertas, renuncies al pecado, a la muerte espiritual, a la tristeza, a la depresión, a la cabeza baja, a la debilidad y al mal.

¡Alegría para ti, sí, ahora! Haz la opción de vida por Jesús; opción por la salvación, por la cura y la liberación. Haz una opción definitiva por Jesucristo, nuestro Señor. ¡Aleluya!

¡CON JESÚS Y CON MARÍA NADA TEMO!

Esta victoria llena nuestro corazón de amor, de gratitud y del poder del nombre de Jesús. **¡Gloria y alabanza a Ti, Señor!** Nuestro corazón se alegra, vibra y está más fuerte. Nuestro corazón se convierte a Jesús, porque extendiendo nuestras manos gritamos: **¡Jesús, sálvame, sáname, libérame!**

De la abundancia del corazón hablan los labios (ver Mt 12,36), y mi corazón hoy, ahora, está lleno de la presencia de Jesús y de su victoria. ¡Gloria a Dios! Siento en mi corazón, en mi alma, en toda mi vida, la victoria del nombre y de la Sangre de Jesucristo, nuestro Señor. ¡Aleluya! Quisiera que tú participes de esta alegría y entusiasmo por la Palabra de Dios. Siento también que, por Jesús, mi corazón estalla de amor por ti y quiero que tengas esta experiencia del amor de Dios. ¡Cuán débiles somos y pecadores, y cómo nos ama Jesús y perdona nuestros pecados! ¡Es una experiencia maravillosa el ser perdonado por Jesús!

Cuando nos sintamos débiles, extendamos las manos al cielo, como San Pedro cuando se hundía en el lago, y gritemos: **¡Señor, sálvame!** Gritemos todos los días y todos los instantes: **¡Jesús, sálvame, sáname, libérame!**

¡CON JESÚS Y CON MARÍA NADA TEMO!

¡Qué alegría hay en nuestro corazón! ¡Qué alegría nos da la Palabra de Dios! ¡Qué alegría sabernos victoriosos! ¡Qué alegría nos da la esperanza de días mejores, de salvación, de cura! ¡Cuánta esperanza tenemos al levantar nuestra cabeza y mirar hacia adelante, seguros de que podemos contar con el poder del nombre y de la Sangre de Jesús, fortaleciéndonos en esta marcha!

¡No mires hacia atrás! No mires más hacia el pecado pasado. Mira hacia adelante, hacia la esperanza, hacia la alegría. ¡Mira hacia Jesús, hacia la vida nueva, vida de hijo amado de Dios Padre! Acuérdate: *"Nadie que pone la mano en el arado y mira hacia atrás es apto para el Reino de Dios"* (Lc 9,62).

"¡Mantente unido a Mí, pues Yo, Jesús, estoy contigo!"

"Mantenerse unido a Jesús" significa leer cada vez más la Palabra de Dios. ¿Te gustaría integrar este gran grupo que se esta formando? Basta apagar la televisión a la hora de las telenovelas para leer y meditar la Palabra de Dios. ¡Y así ganarás mucho más!

"Mantenerse unido a Jesús", significa participar de la Eucaristía varias veces por semana: *"El que come mi carne y bebe mi sangre, permanece en mí, y yo en él"* (Jn 6,56).

"Mantenerse unido a Jesús" significa ir a un grupo de oración. El hombre no es una isla. Necesita el amor, la oración, la alabanza y el testimonio del hermano para crecer en la fe. Es el Cuerpo Místico de Jesús.

Finalmente, hermano, "mantenerse unido a Jesús" significa buscarlo en la oración personal: *"Cuando vayas a orar, entra en tu aposento y, después de cerrar la puerta, ora a tu Padre que está allí, en lo secreto; y el Padre, que ve en lo secreto, te recompensará"* (Mt 6,6).

Piensa bien, hermano mío:

¿Prefieres quedarte en casa a ir a un grupo de oración?

¿Prefieres prender la televisión y ver telenovelas al lado de tu cónyuge y de tus hijos para inducirlos así al pecado y al adulterio?

¿Prefieres también quedarte muchas veces conversando (aquellas charlas que no traen ningún provecho), en vez de recogerte por algunos minutos en tu cuarto a orar?

¿Prefieres amontonar más y más disculpas para no ir a la misa y participar en la Eucaristía?

Pero de ahora en adelante todo será diferente, ¿verdad? La Palabra de Dios nos da esperanza. Hoy es el día oportuno, tiempo de cambios, de conversión, de dejar la vida pasada... de no mirar más hacia atrás y mirar sólo hacia Jesús, que en este momento extiende su mano hacia nosotros para que tengamos en Él una vida nueva llena de paz y victoria sobre el demonio, la muerte y el pecado.

¡Ven hacia Jesús ahora! Jesús te ama. Mira hacia adelante para ver la luz, mira hacia adelante para ver la alegría, la paz y el amor que Dios te está dando en Jesucristo, nuestro Señor. ¡Amén! ¡Aleluya!

¡CON JESÚS Y CON MARÍA NADA TEMO!

ORACIÓN

¡Ven, Señor Jesús! ¡Ven y llénanos con tu Santo Espíritu! Ahora, Señor Jesús, tenemos la certeza de que Dios Padre nos da la victoria por el poder de tu nombre: Jesús. Damos gracias a Dios por esta victoria de tu amor y por la paz y la alegría desbordantes que hay en nosotros.

Nuestro corazón se llena de gratitud y de alabanza a Ti, Dios Padre de amor, y, con la seguridad de esta victoria en todos los días y momentos de nuestra vida, nos atrevemos a decir que ¡CON JESÚS Y CON MARÍA NADA TEMEMOS!

¡Alabado y bendito sea Dios Padre, Dios Hijo y Dios Espíritu Santo!

¡Amén! ¡Aleluya!

Hermano, éste es el momento de gracia y de gran unión con la Santísima Trinidad. Por eso te exhorto: entreguemos estos próximos minutos al Señor Jesús. Busquemos primero el reino de Dios y aquietemos nuestro corazón. Dejemos a Jesús, el Buen Pastor, apacentar lo más profundo de nuestro ser y todos juntos alabemos, adoremos y agradezcamos a nuestro Dios.

¡Oh, Padre, Padre de nuestro Señor Jesucristo, cuán grande es tu amor por nosotros, y cuánto Te amamos! Padre, Te bendecimos por toda la creación. Padre, nos unimos a todo aquello que creaste para alabanza de tu gloria, para alabarte, bendecirte, adorarte, darte gracias. Tú eres nuestro Dios y nos unimos, Padre, a todo ser humano, creado a tu imagen y semejanza y que en este momento Te está adorando, alabando y bendiciendo. Señor, nos unimos también a María santísima, a los ángeles y santos del cielo, nos unimos a todo el pueblo de alabanza y a toda la Iglesia de nuestro Señor Jesucristo para que, con una sola voz, podamos glorificarte, porque Tú eres grande, Padre, y tu amor por nosotros no tiene límites.

Te agradecemos, Padre, porque nos das a Jesucristo, ¡porque Jesús está vivo! Él venció la muerte, el sufrimiento, el pecado; venció a satanás y nos da la victoria en su nombre y en su Sangre.

Te amamos, Jesús. Creemos en Ti. Creemos en el poder de tu resurrección, en tu victoria, y creemos que estás sentado a la derecha de Dios Padre, con poder y gloria. Creemos que derramaste el Espíritu Santo en nuestro corazón.

¡Oh, Espíritu de Dios, bienvenido! Te amamos, Te adoramos, Te exaltamos. Gracias, Espíritu Santo, por esta obra de conversión, de salvación, de cura, de liberación, que realizas dentro de nosotros. Gracias, Espíritu Santo, porque haces eficaz para cada uno de nosotros la victoria de nuestro Señor Jesucristo. Gracias, Espíritu Santo, porque estamos unidos a Ti y nada podrá separarnos del amor que Dios nos manifiesta en Jesucristo, nuestro Señor.

Gracias, Espíritu Santo, porque Tú eres quien ilumina la santa Palabra de Dios para nosotros. Gracias, Espíritu Santo, porque eres Tú quien nos enseña la verdad, porque eres nuestro Consolador, nuestro Abogado, estás siempre con nosotros y moras dentro de nosotros. Gracias, Espíritu Santo, porque eres Tú quien nos da la unidad de la fe, gracias Espíritu Santo, porque llenas nuestro corazón de esperanza, alegría y amor. Gracias, Espíritu Santo, porque trasladas tu presencia de nosotros hacia nuestros hermanos. Gracias, Espíritu Santo, porque tú eres fuente del amor de Dios. ¡Gloria a Ti!

¡Oh, Jesús, nosotros Te amamos tanto! Invocamos tu nombre e invocamos tu Sangre sobre nosotros. Y hoy, Señor, Te pedimos, por tu Palabra aquí proclamada – porque tu Palabra es veraz y Tú eres fiel –, Dios mío, extiende tu mano sobre nosotros y permite a tus siervos, a tus fieles, a aquéllos que creen en Ti, que llevan tu nombre, lograr ahora la victoria sobre todo mal, sobre todas las fuerzas del pecado y todas las fuerzas demoníacas que se lanzan contra nosotros.

¡Oh, Dios!, en nombre de Jesús, imploramos el poder del nombre y de la Sangre de Jesús y, en la fuerza del Espíritu Santo, ordenamos que el demonio sea aherrojado y que toda fuerza maligna que actúa en nuestra vida sea ahora mismo alejada y aniquilada en el nombre, el poder y la verdad de Jesucristo, nuestro Señor. ¡Oh, Dios!, por la fe en Jesucristo, nos apropiamos de la victoria sobre el mal, sobre el pecado, sobre la muerte. ¡Oh, Dios!, Te pedimos en nombre de Jesús, que tu Espíritu Santo engendre en nosotros vida nueva, vida de hijos de Dios. ¡Oh, Dios!, Te pedimos en nombre de Jesús, por la muerte de Jesucristo, nuestro Señor, y por su victoria sobre la muerte, que nos des fuerzas para apartar de nuestra vida el pecado y la tentación y que nos fortalezcas en tu gracia. ¡Oh, Dios!, Te pedimos también la victoria sobre todo aquello que nos divide, que nos desune, sobre los hogares que se están destruyendo.

Jesús, Tú eres victorioso y nosotros nos apropiamos de tu victoria para nuestra vida, para nuestra familia, para nuestros jóvenes, para nuestros niños, para nuestros enfermos. ¡Oh, Jesús!, también eres vencedor de toda enfermedad. Tú le dijiste al leproso: *"Quiero, queda limpio"* (Mt 8,3), y en el mismo momento fue sanado. Señor, oramos y Te pedimos la cura divina de todos los enfermos y Te pedimos, Señor, que liberes el poder del Espíritu Santo para sanar a tu pueblo que está enfermo de alma y cuerpo.

Y ahora, hermano, imagina a Jesucristo delante de ti: a Jesús glorioso, como se apareció a los apóstoles después de la resurrección. Imagina a Jesús extendiendo la mano sobre ti, y diciendo: *"¡Hijo mío, la paz esté en tu corazón!"* Siente fluir en ti todo el poder de la resurrección de nuestro Señor Jesucristo.

Vamos a orar juntos:

Señor, en este momento oramos por todos los enfermos. Creemos en tu poder y Te pedimos, Jesús, que la fuerza del Espíritu Santo sea liberada ahora y que todos sean sanados. Creemos que así es, y juntos exaltamos y glorificamos tu santo nombre, delante del cual toda rodilla se dobla en el cielo, en la tierra y en los infiernos (ver Fl 2,10).

Amén y amén.

5
¡ÁMENSE, EN NOMBRE DE JESÚS!

"Este es el mandamiento mío: que os améis los unos a los otros como yo os he amado" (Jn 15,12).

Cuando oraba esta mañana, Jesús me enseñó una oración poderosísima, que me hizo muy bien y me liberó interiormente. Siento que debo compartir esta experiencia contigo. Levantemos las manos al cielo y digamos con fuerza, con fe, y desde nuestro corazón, nuestra mente y todo nuestro ser: **¡YO SOY DE JESÚS!**

Debemos entregar nuestra vida totalmente a Jesús, para que Él sea nuestro Señor, Dios y Salvador. Te pido que en casa digas esta oración: **¡YO SOY DE JESÚS!**

Proclama nuevamente: **¡YO SOY DE JESÚS!**

Ahora una vez más, desde lo más hondo de tu corazón: **¡YO SOY DE JESÚS!**

Si estamos afirmando que somos de Jesús, estamos al mismo tiempo diciendo que no somos de satanás, que no somos del mal.

SOY DE JESÚS. JESÚS ES MI ÚNICO SEÑOR Y SALVADOR.

Cuando digo que creo en Jesús y en su resurrección, estoy diciendo que la barrera existente entre el hombre y Dios, nuestro pecado, está siendo eliminada por nuestro arrepentimiento, por nuestra confesión y por la fe en el nombre y en la Sangre redentora de Jesucristo, nuestro Señor. **¡Jesús, ten compasión de mí!**

Vamos a repetir todos los días de nuestra vida: ¡Yo soy de Jesús! ¡Yo soy de Jesús! ¡Yo soy solamente de Jesucristo, nuestro Señor!

La Palabra de Dios nos dice, por medio de San Pablo, en la Carta a los Romanos 6,23, que *"el salario del pecado es la muerte; pero el don gratuito de Dios es la vida en Jesucristo Señor nuestro"*. Por tanto, todo aquél que está en el pecado está muerto en su espíritu. No muerto físicamente hablando, sino muerto espiritualmente.

A veces pensamos que dar un alimento a aquél que está muerto en su espíritu es suficiente. No es suficiente, porque sólo el alimento no dará vida a esta persona que está muerta en su espíritu. Pensamos también que, dando ropas, remedios... ¡y tantas son las necesidades por suplir! es suficiente para dar vida. ¡No! Eso no da vida. Dar todos estos bienes materiales es importante, pero no es suficiente. Jesucristo dice en el Evangelio de San Juan:

"Yo soy la resurrección y la vida" (Jn 11,25).

¡Vida es Jesús! ¡Resurrección es Jesús! Y todas aquellas personas muertas en su espíritu solamente recibirán vida, resucitarán de la muerte para la vida, a través del nombre y de la Sangre redentora de Jesucristo, nuestro Señor. Y Jesús nos afirma lo que estamos diciendo:

"Nadie tiene mayor amor" (Jn 15,13).

Estamos hablando ahora del mayor amor que existe:

"Nadie tiene mayor amor que el que da su vida por sus amigos" (Jn 15,13).

Esta vida de que nos habla la Palabra de Dios no es nuestra vida porque, si nuestro hermano está muerto en su espíritu, de nada sirve que yo dé la vida por él, por amor a él, pues no resucitará.

Cuando damos a Jesús a nuestro hermano sucede la resurrección de su alma hasta entonces muerta por el pecado; cuando nuestro hermano recibe a Jesús es que pasa de la muerte espiritual a la vida.

Leamos ahora lo que dice Jesús en Su mandamiento:

"Este es el mandamiento mío: que os améis los unos a los otros como yo os he amado" (Jn 15,12).

Además de dar Jesús, que es vida, además de llevar la salvación (no hay amor más grande que el que da Jesús y la vida a sus hermanos), Jesús nos pide que lleguemos a darnos en amor a estos hermanos:

"[Amaos] los unos a los otros como yo os he amado"
(Jn 15,12).

Jesús quiere que nos amemos como Él nos ama.

"Sed misericordiosos, como vuestro Padre es misericordioso"
(Lc 6,36).

Podrías preguntarme: ¿y cómo puedo saber si Jesús me ama? ¿Cómo manifiesta Él su amor?

La Palabra de Dios nos responde una vez más: a medida que ponemos en práctica la Palabra de Dios en nuestra vida, percibimos que ella tiene el poder de salvarnos, sanarnos y liberarnos. Jesús nos ama a través del conocimiento y la vivencia de su Palabra, en el poder y la fuerza del Espíritu Santo (ver II Jn 1,6).

La Biblia es una carta de amor de Dios a nuestro corazón. El Verbo de Dios es el propio Jesucristo vivo. Por la Palabra de Dios es que somos amados por Jesús. Por la Biblia es que Dios nos da consejo, por ella nos muestra el camino de la vida, de la salvación, lo que debemos o no debemos hacer. En la Biblia es donde encontramos y vivimos el amor de Dios. Por la Palabra es que somos salvados y sanados. La Palabra de Dios es la luz que ilumina nuestros pasos. Jesús nos ama a través de su Palabra y el amor que coloca en nuestro corazón Él quiere que se difunda hacia nuestros hermanos.

Vamos a amarnos unos a otros como Jesús nos ha amado, y así seremos conocidos como discípulos de Jesucristo, nuestro Señor.

"En esto conocerán todos que sois discípulos míos: si os tenéis amor los unos a los otros" (Jn 13,35).

Señor, hazme instrumento de tu paz,
Que donde haya odio, yo lleve el amor.
Que donde haya injuria, yo lleve el perdón.
Que donde haya discordia, yo lleve la unión.
Que donde haya duda, yo lleve la fe.
Que donde haya error, yo lleve la verdad.
Que donde haya desesperación, yo lleve la esperanza.
Que donde haya tristeza, yo lleve la alegría.
Que donde haya oscuridad, yo lleve la luz.

¡Oh, Maestro!, que no busque ser consolado, sino consolar;
Que no busque ser comprendido, sino comprender;
Que no busque ser amado, sino amar.

Porque
dando es como se recibe;
perdonando es como se es perdonado,
y muriendo es como se vive para la vida eterna.
Amém.

SAN FRANCISCO DE ASIS

ORACIÓN

Jesús, danos la gracia de amar a nuestros hermanos como Tú nos has amado.

Jesús, queremos una vez más agradecerte, porque eres nuestro amigo. Queremos agradecerte, porque tu Palabra nos enseña a amar, pero no a nuestra manera pequeña, mezquina, vanidosa y egoísta de amar. La medida que Tú nos das para amar a nuestros hermanos es tu amor, Jesús.

Jesús, nosotros queremos amar como Tú nos has amado. ¿Y cómo hemos sido amados por Ti, cómo derramaste tu amor en nuestro corazón?... ¡Dándonos tu vida, dándonos tu Espíritu!

Jesús, ahora queremos decirte: "Gracias por este amor." Queremos decir que nuestro corazón en este momento canta de alegría. Es como si viéramos un día maravilloso, pajaritos cantando, flores en el jardín, tal es la alegría que hay en nuestro corazón, porque podemos sentir la inmensidad y la riqueza de tu amor. Y con el mismo amor con que nos amas, Tú quieres que amemos: perdonando y disculpando; extendiendo las manos y ayudando con alegría; yendo al encuentro de la necesidad del hermano, como lo hizo el samaritano a la orilla del camino; entregándote a Ti nuestros rencores, resentimientos y amarguras.

¡Envíanos, Señor, tu Espíritu de amor para que podamos amar! ¡Ayúdanos, Señor, con tu gracia, ven a vivir en nosotros tu inmenso amor!

Jesús nos quiere hijos de Dios, hijos del amor. Si somos hijos de Dios, somos hijos del amor, herederos del amor, porque Dios es amor. Y Él derrama en nuestro corazón su amor, para que nosotros hagamos llegar este amor a nuestros hermanos.

¡Vamos a amarnos en nombre de Jesús! Vamos a tomar la primacía del amor, la iniciativa del amor, dando el primer paso para el amor, para el perdón y la reconciliación.

¿Tu corazón ahora tiene amargura, tristeza, rencor? ¿Hay varias personas con quienes no te va bien? Búscalas personalmente o llámalas por teléfono y reconcíliate con ellas; sí, ¡ahora mismo! Relaciónate con María, con Pedro, con Juan, con Marcos, con Fátima, con Regina, con Rosa, con Marilda, con tantas otras personas, y di: "Perdón, te pido perdón por haberte mortificado y también te perdono por la tristeza que introdujiste en mi corazón."

¡¡Qué maravilla!!

La Palabra de Dios dice que hoy es el día oportuno, hoy es el día de la salvación (ver II Co 6,2). Jesús te pide a ti que dijiste que eras de Jesús – **¡YO SOY DE JESÚS!** – una actitud de obediencia. Si eres de Jesús, tienes que ser obediente, porque Él te pide ahora una actitud de perdón y reconciliación. Suegra con nuera, nuera con suegra, yerno con suegro, hijo con padre, padre con hijo, hija con la madre... Hermano ¡vamos a perdonar y amar, en nombre de Jesús!

Repito: ¿Tú no dijiste que eras de Jesús? ¿No lo afirmaste? ¡Cumple ahora lo que dijiste!

Quiero insistir, exhortar: ¡Vamos a darle un regalo a Jesús, un regalo de hijo a un Dios que es Padre! ¡Vamos a perdonar a nuestros hermanos y amarlos! ¡Vamos a reconciliarnos con ellos! No hay regalo que le gustaría más recibir a Jesús que éste. ¿Vamos a tener actitudes de perdón, de paz y de amor, para gloria de Jesucristo, nuestro Señor?

"En esto conocerán todos que sois discípulos míos, si os tenéis amor los unos a los otros" (Jn 13,35).

Amor, paz, alegría, comienzo de una nueva vida, vida de hijos amados de Dios Padre.

Ahora te pido a ti, que dijiste *sí* a Jesús y a su Palabra – amando, reconciliándote con alguien, primero allí mismo en casa, esposo con esposa, esposa con su esposo, hijo con sus padres –, que nos escribas para contarnos sobre el efecto del amor en tu vida, para que juntos podamos dar gloria a Dios por su amor.

¡Gracias, Señor! Envía el poder de tu Espíritu Santo para que esta petición, hecha por Ti, Señor, pueda ser vivida con Jesús. Y que María nos acompañe. ¡Gloria a Dios!

ORACIÓN

¡Ven, Señor Jesús! Ven, Señor, e inunda nuestro corazón con tu amor, con tu gracia, con tu vida.

Hermano mío, es el momento que esperábamos para estar en comunión profunda con Jesucristo, nuestro Señor, en la oración. Yo te exhorto a que entregues verdaderamente a Jesús este momento. Únete a nosotros para que, unidos en la misma fe, en el mismo amor, en el mismo Espíritu, en el mismo bautismo, podamos adorar a nuestro Dios en nombre de Jesús.

Padre santo, Padre eterno, Padre de amor, Padre de misericordia, Padre creador, Te adoramos, Padre, Te bendecimos y Te glorificamos. Te agradecemos, ¡oh, Padre!, por este momento en nuestra vida. Te agradecemos, ¡oh, Padre!, por tu amor tan inmenso

para con nosotros. Te agradecemos, Padre porque nos das a Jesucristo como nuestro Señor y Salvador. Te agradecemos, Padre, porque la Sangre preciosa de Jesucristo nos redime de todo pecado. Te agradecemos, Padre, porque Jesús dio la vida por nosotros. Te agradecemos, Padre, por este amor tan grande de Jesucristo por nosotros, que continúa fluyendo en nosotros para salvarnos, para sanarnos, para liberarnos. Te alabamos, Padre, y Te bendecimos por la acción del Espíritu Santo que renueva en nosotros todas las cosas y que actualiza el Calvario en nuestra vida para que recibamos la redención y la parte que nos toca en la aspersión de la Sangre de Jesucristo, nuestro Señor. Te agradecemos, Padre, porque Jesucristo es siempre el mismo, ayer, hoy y siempre. Te alabamos y Te bendecimos, porque Jesús venció la muerte, porque Jesús venció el pecado, porque Jesús venció a satanás, y porque en Jesucristo, nuestro Señor, somos más que vencedores. Te alabamos, Padre, porque el Espíritu Santo fue derramado en nuestro corazón y tenemos acceso a tu amor. Te alabamos, Padre, porque podemos amar a nuestro prójimo, no con nuestro amor tan humano, débil, limitado, pequeño, sino con tu amor, ¡oh, Dios!, que fluye de nuestro corazón por tu Espíritu Santo que nos fue concedido. Queremos alabarte y bendecirte porque Tú eres bueno, porque Tú nos aceptas como somos y porque Tú realizas en nosotros esta obra de salvación, de cura, de liberación, de transformación, de santificación y haces de cada uno de nosotros un instrumento tuyo para que tu amor llegue a nuestro prójimo.

Padre santo, hoy, en nombre de Jesús, con mucha fe, queremos decir: ¡Nosotros somos de Jesús!

Nuestro corazón es de Jesús, nuestra mente es de Jesús, nuestra voluntad es de Jesús. Todo nuestro querer, todo nuestro ser, todo nuestro actuar, todo nuestro pensar es de Jesús. Nosotros nos consagramos a Jesucristo. Nos entregamos a Jesucristo. Entregamos nuestro hogar a Jesucristo, entregamos nuestro trabajo a Jesucristo, entregamos nuestra familia a Jesucristo, entregamos nuestros dolores a Jesucristo. Entregamos nuestro pecado a Jesucristo. Entregamos nuestros fracasos a Jesucristo, entregamos todo aquello que nos concierne a Jesucristo, para que él domine sobre nosotros, para que Jesús libere en nosotros su vida, su amor y su poder, para que Jesús pueda vivir y morar dentro de nosotros. ¡Nos entregamos a Jesucristo!

¡Oh, Jesús!, Tú que estás vivo y sondeas todas las cosas, sabes muy bien el estado de nuestro corazón. ¡Oh, Jesús!, Te pedimos en este momento que tu luz divina venga sobre nosotros y que el poder redentor de tu Sangre nos cubra ahora, y que tu misericordia infinita sane nuestros corazones de todos los odios, todas las amarguras, todos los rencores, todos los resentimientos, toda la tristeza, todo sentimiento de desquite y de venganza y de todo sentimiento de culpa.

¡Oh, Jesús, ten compasión de nosotros! Ten misericordia de nosotros, Señor. No queremos vivir ya como esclavos de estos pecados. No queremos ya ser esclavos de satanás. No queremos que el odio domine sobre nosotros. ¡Libéranos, Señor! Que todo esto sea ahora clavado en tu cruz, por el poder de tu nombre redentor. ¡Líbranos, Señor Jesús! Renunciamos a todo lo que nos ha separado de tu amor y del amor a nuestro prójimo. Renunciamos a todo pecado. Y ahora, Jesús, abrimos nuestro corazón para recibir de Ti el don del perdón, el don del amor, el don de la reconciliación, el don de la paz, el don de la alegría, el don de la fe, el don de la esperanza, el don de la caridad. Ven, Señor Jesús, con tu poder y ten compasión de nosotros.

Amén y amén.

TODO ES POSIBLE PARA QUIEN CREE

"Jesus le dijo: '¡Qué es eso de si puedes! ¡Todo es posible para quien cree!' Al instante, gritó el padre del muchacho: '¡Creo, ayuda a mi poca fe!'" (Mc 9,23-24).

Este pasaje se refiere a un padre que buscó a Jesús para pedirle que liberase a su hijo de un espíritu inmundo.

"'¡Traédmelo!' Y se lo trajeron. Apenas el espíritu vio a Jesús, agitó violentamente al muchacho y, cayendo en tierra, se revolcaba echando espumarajos. Entonces le preguntó a su padre: '¿Cuánto tiempo hace que le viene sucediendo esto?' Le contestó: 'Desde niño. Y muchas veces le ha arrojado al fuego y al agua para acabar con él; pero, si algo puedes, ayúdanos, compadécete de nosotros'. Jesús le dijo: '¡Qué es eso de si puedes!'" (Mc 9,19-23).

Presta atención a lo que Jesús dice:

"'¡Todo es posible para quien cree!' Al instante, gritó el padre del muchacho: 'Creo'" (Mc 9,23-24).

Y esto es lo que necesitamos hacer hoy, mañana y todos los días:

"'¡Creo, ayuda a mi poca fe!' Viendo Jesús que se agolpaba la gente, increpó al espíritu inmundo, diciéndole: 'Espíritu

sordo y mudo, yo te lo mando: sal de él y no entres más en él.' Y el espíritu salió dando gritos y agitándole con violencia. El muchacho quedó como muerto, hasta el punto de que muchos decían que había muerto. Pero Jesús, tomándole de la mano, le levantó y él se puso en pie" (Mc 9,24-27).

Todos nosotros podemos decir, a partir de este episodio y de toda la lectura de la Palabra de Dios, no solamente por medio de lo que hemos leído y oído, sino por todo lo que hemos vivido y experimentado que ¡CRISTO TIENE PODER! ¡CRISTO TIENE PODER! ¡ALELUYA! ¡JESUCRISTO ES PODEROSO, JESUCRISTO TIENE PODER!

Hermano mío, en la Biblia está escrito, en el Nuevo Testamento, que en Caná de Galilea Jesús fue a una boda. Transformando el agua en vino y dándolo a beber a la gente, mostró su gracia, su gloria y su poder (ver Jn 2,1-11).

¿Sabéis cómo sucedió esto? ¿Sabéis por qué Jesús logró transfomar el agua en vino? – ¡PORQUE CRISTO TIENE PODER!

En la ciudad de Naim, una mujer acompañaba a su hijo a la tumba llorando y la gente iba cargándolo. Jesús detuvo el entierro: *"Detengan la marcha."* Y la gente reprobó esto. Jesús llamó al muerto y el muerto se levantó (ver Lc 7,11-15). ¿Sabéis por qué sucedió esto? ¡PORQUE CRISTO TIENE PODER!

Jesús hizo maravillas en el desierto de Judea, sanó en Samaria y también en Galilea. Y en Cafarnaum, ¡cuántos milagros hizo! Sanó en el camino... ¡diez leprosos de una vez! (ver Lc 17,11-19). ¿Por qué? ¡PORQUE CRISTO TIENE PODER!

Jesús hizo maravillas hace dos mil años, está haciéndolas hoy en el corazón y en la familia de los que creen en su nombre y continuará haciéndolas. Si no las hace en tu vida, es ¡SOLAMENTE PORQUE TÚ NO CREES!

Jesús salva al pecador, da alegría, gozo, paz, sana enfermedades y expulsa a satanás. ¿Por qué? ¡PORQUE CRIS-

TO TIENE PODER! ¡CRISTO TIENE PODER! ¡ALELUYA! JESUCRISTO ES PODEROSO. ¡JESUCRISTO TIENE PODER!

"Jesús le dijo: '¡Qué es eso de si puedes! ¡Todo es posible para quien cree!' Al instante, gritó el padre del muchacho: '¡Creo, ayuda a mi poca fe!'"

Esto es lo que necesitamos hacer: ¡creer en Jesús! Y la Biblia dice que, para que todos creamos en Jesús, necesitamos conocer, meditar y vivir la Palabra de Dios, con la fuerza y el poder del Espíritu Santo.

Este texto es poderoso y muestra el poder del nombre y de la Sangre redentora de Jesús. Jesús miró al niño y dijo al espíritu inmundo que dominaba a aquel muchacho:

"Espíritu sordo y mudo, yo te lo mando: sal de él y no entres más en él" (Mc 9,25).

¡Aleluya! ¡Gloria a Dios! ¡CRISTO TIENE PODER!

Y este mismo Jesús, que hizo ésta y tantas otras maravillas, quiere hacer maravillas en tu vida y en tu familia. Basta una sola cosa... lo que Jesús dice al padre del niño, y nos lo dice también a nosotros hoy, a través de su Palabra, nos lo está diciendo a ti, María, a ti, Rosa, a ti, Pedro, a ti, Carlos: ¡TODO ES POSIBLE AL QUE CREE!

Creer, hermano mío, es esto lo que necesitamos hacer.

Señor Jesús, creemos y oramos en este momento: ¡Aumenta nuestra fe!

¡CRISTO TIENE PODER! ¡CRISTO TIENE PODER! ¡ALELUYA! ¡JESUCRISTO ES PODEROSO, JESUCRISTO TIENE PODER!

Jesús salva al pecador y te salva a ti; ¡el nombre de Jesús tiene poder! ¡La Sangre de Jesús tiene poder! Jesús da alegría, Jesús da gozo, ¡aleluya! Jesús da la paz, sana las enfermedades y expulsa a satanás.

Y Jesús nos delega este poder.

"Estas son las señales que acompañarán a los que crean: en mi nombre expulsarán demonios, hablarán en lenguas nuevas, tomarán serpientes en sus manos y aunque beban veneno no les hará daño; impondrán las manos sobre los enfermos y se pondrán bien" (Mc 16,17-18).

Jesús nos delega el poder de expulsar a los demonios, a los espíritus del mal, que oprimen el corazón del hombre. Esto es lo que necesitamos hacer: apropiarnos de este nombre que salva, de este nombre que sana, de este nombre que libera, de este nombre poderoso, porque ante el nombre de Jesús toda rodilla se dobla, en el cielo, en la tierra y en los infiernos (ver Flp 2,10).

Cada vez que sentimos la acción del enemigo en nuestra vida, en nuestra casa, en nuestra familia, hablemos con autoridad, como lo hizo Jesús:

¡En el nombre de Jesús, aléjate, satanás! En el nombre de Jesús, ¡retírate, depresión! ¡En el nombre de Jesús, retírate, enfermedad física, enfermedad espiritual! En el nombre de Jesús, lejos de nosotros todo lo que pertenece a satanás, porque somos de Jesús, somos hijos de Dios. Somos lavados y purificados en la Sangre de Jesucristo, nuestro Señor. ¡CRISTO TIENE PODER! ¡CRISTO TIENE PODER!

¡Aleluya!

"Espíritu sordo y mudo, yo te lo mando: sal de él y no entres más en él" (Mc 9,25).

¡Sal de cada uno de nosotros, en el nombre de Jesús, y no vuelvas a entrar más!

¡Amén, Jesús! ¡Gloria a Dios!

¡CRISTO TIENE PODER! ¡CRISTO TIENE PODER! ¡ALELUYA! ¡JESUCRISTO ES PODEROSO, JESUCRISTO TIENE PODER!

Gracias, Señor, ¡gracias de todo corazón, Jesús! Cuando atestiguamos y proclamamos tu Palabra no decimos simplemente algo que estamos leyendo u oyendo, sino lo que estamos experimentando en nuestra vida.

¡Jesús, todos nosotros sabemos y sentimos ahora que tu nombre tiene poder!

Tenemos la certidumbre de esto y lo decimos con toda seguridad, porque hemos experimentado este poder en nuestra vida. Yo ya fui sanado físicamente varias veces. Ya fui liberado y estoy siendo liberado a cada instante, por el poder del nombre y la Sangre de Jesús. Me he aferrado de la mano de Dios en el nombre de Jesús y he vencido las obras de satanás por el poder del nombre y la Sangre de Jesús:

"Ellos le vencieron gracias a la sangre del Cordero"
(Ap 12,11).

Cristo tiene poder para salvar y para cambiar tu corazón a pesar de los problemas que puedas estar viviendo. La vida que Jesús promete y da es Él mismo, y no una vida condicionada por las circunstancias buenas o malas. A pesar de los problemas y de las circunstancias, Jesús nos da su vida y vida en abundancia (ver Jn 10,10).

Tú, esposa, cuyo marido está abandonando tu hogar, ¡vuélvete hacia Jesús! Toma a Jesús como esposo, como padre de tus hijos. Él tiene toda la vida para darte.

Tú, enfermo, ¡mira hacia Jesús! Jesús te ama.

Tú, hermano desesperado por los problemas económicos o familiares, ¡no te desesperes! Clama: "¡Jesús, ten compasión de mí!" Implora el poder de su Sangre redentora que derrotó y derrota a satanás.

Si Jesús no hace milagros en tu vida, es porque no crees o crees un poquito solamente, como el padre del muchacho, indagado por Jesús:

"'¡Qué es eso de si puedes! ¡TODO ES POSIBLE PARA QUIEN CREE!' […]; 'Creo, ayuda a mi poca fe!'" (Mc 9,23-24).

Necesitamos orar siempre: ¡JESÚS, TEN COMPASIÓN DE MÍ! ¡CREO, JESÚS, PERO AUMENTA MI FE!

Y para creer cada vez más en Jesús, la Biblia nos indica lo que hemos de hacer:

"La fe viene de la predicación, y la predicación, por la Palabra de Cristo" (Rm 10,17).

Necesitamos leer, meditar y vivir la Palabra de Dios cada vez más. Además, sin grupo de oración es muy difícil crecer y caminar en la fe. El hombre no es una isla, necesita una comunidad de fe, un grupo de oración.

Sin la Eucaristía – *"Yo soy el pan vivo, bajado del cielo. […] El que come mi carne y bebe mi sangre, permanece en mí, y yo en él"* (Jn 6,51.56) – y sin oración personal, también es muy difícil crecer en la fe y conocimiento de Jesús.

Vuélvete hacia Jesús, vuélvete hacia Jesús ahora, para que tú y toda tu familia se salven y para que puedas, en todo instante, por cualquier problema que se te presente a tí o a tu familia o en el trabajo, decir con autoridad:

En el nombre de Jesús, yo te ordeno: retírate, satanás; retírate, depresión; retírate, toda enfermedad física, espiritual, mental. Retírate, odio, amargura y pecado, porque YO SOY DE JESÚS. Estoy

lavado en la Sangre de Jesús. ¡Soy hijo de Dios! Te lo ordeno, espíritu del mal, te lo ordeno, enfermedad, depresión, en el nombre de Jesús: póstrate delante de Jesús y aléjate, porque la Palabra de Dios dice: *"Por lo cual Dios le exaltó y le otorgó el Nombre, que está sobre todo nombre. Para que al nombre de Jesús toda rodilla se doble en los cielos, en la tierra y en los abismos, y toda lengua confiese que Cristo Jesús es Señor para gloria de Dios Padre"* (Flp 2,9-11). Retírate, satanás, en el nombre de Jesús, porque Jesús tiene compasión de mí. La Sangre de Jesús tiene poder y esta Sangre poderosa me lava, me salva, me sana y me libera. ¡Aleluya! ¡¡¡Mil veces aleluya!!!

Y sólo nos resta decir contigo:

¡Gracias, Jesús, por tanto amor! ¡Gracias, Señor, por el poder de tu nombre! ¡Gracias, Señor, por el poder de tu Sangre!

¡CRISTO TIENE PODER! ¡JESUCRISTO ES PODEROSO! ¡JESUCRISTO TIENE PODER!

¡TODO ES POSIBLE PARA QUIEN CREE!
¡Amén! ¡Aleluya!

ORACIÓN

Señor Jesús, Te alabamos, Te bendecimos y Te glorificamos y Te reconocemos como nuestro único Dios, Señor y Salvador. Pedimos perdón por nuestros pecados y con fe decimos: ¡Jesús, ten piedad de nosotros!

En cumplimiento de tu Palabra, oramos a Dios Padre en el nombre de Jesús: envía, Señor, el poder, la fuerza y los dones de tu Espíritu Santo para que, llenos del Espíritu de Dios, podamos apropiarnos del poder del nombre y de la Sangre de Jesús y, como lo hizo Jesús, empleando el poder y la autoridad de su nombre y de su Sangre, seamos salvados, liberados y sanados, y llevemos esta salvación, liberación y cura a todos nuestros hermanos.

Danos, Señor Jesús, el don de la resolución para expulsar, en tu nombre, toda enfermedad y todo espíritu del mal que nos atormenta, a nosotros, a nuestra familia y a nuestros hermanos.

¡Gracias y alabado sea tu nombre, Jesús! ¡Y que María interceda por nosotros!

¡TODO ES POSIBLE PARA QUIEN CREE! Jesús, creemos y oramos: ¡aumenta, Señor, nuestra fe!

¡CRISTO TIENE PODER! ¡CRISTO TIENE PODER! ¡ALELUYA! ¡JESUCRISTO ES PODEROSO! ¡JESUCRISTO TIENE PODER!

¡Ven, Señor Jesús! Ven, Señor, con tu poder y tu amor, e inunda nuestro corazón con tu paz. Libera en nosotros la virtud del Espíritu Santo en este momento de oración, en que tu presencia se revela tan fuerte en medio de nosotros.

Hermano mío, es momento de gracia. Entreguemos estos minutos a Jesús y coloquémonos en su presencia para, con Él, adorar al Padre eterno. Por esto, hermano, te exhorto a que centres toda tu atención en Jesús.¡Jesús te ama! Y Jesús está vivo. Jesús está en medio de nosotros. Él sondea nuestro corazón y sabe exactamente cuáles son nuestras necesidades.

¡Oh, Jesús!, queremos en este momento, unidos a Ti, elevar el corazón a Dios y, junto Contigo, Señor, queremos adorar a nuestro Padre eterno.

¡Padre Santo, alabado seas por siempre! Tú eres nuestro Padre, Tú eres el Padre de nuestro Señor Jesucristo. ¡Oh, Padre!, Tú nos das la salvación en Jesucristo, tu Hijo amado, y nos lavas con la Sangre redentora de Jesús. Tú nos sustentas con el poder de tu Palabra. ¡Nosotros Te amamos porque Tú eres nuestro Dios!

Jesucristo, Hijo de Dios altísimo, nuestro Salvador y Redentor, a Ti todo honor, toda gloria, todo poder, toda majestad y adoración. ¡Santo, santo, santo es el Señor! Nos inclinamos en tu presencia, Te adoramos y Te proclamamos único Señor y Salvador de nuestra vida.

¡Oh, Espíritu Santo, Paráclito, Espíritu consolador, Espíritu de santidad, Espíritu de verdad, Te adoramos, Te bendecimos y Te acogemos en nuestro corazón! Tú eres bienvenido, Espíritu Santo. ¡Ven, Señor! Inúndanos ahora con tu amor, tu alegría y tu paz. ¡Inúndanos de fe!

¡Oh, Dios!, queremos hoy alabarte por tu Palabra que nos dice: "*¡Todo es posible para quien cree!*" (Mc 9,23) Y Te agradecemos, Padre, porque en nuestro bautismo recibimos una medida de fe, recibimos la semilla de fe que nos permite, a lo largo de nuestra vida, acoger y reconocer a Jesucristo como nuestro único Señor y Salvador. Te agradecemos por esta fe que fue puesta en lo más profundo de nuestro ser y queremos pedirte, Padre, en el nombre de Jesús, de acuerdo con tu Palabra: ¡aumenta nuestra fe! ¡Que esta medida de fe, que esta semillita de fe, crezca dentro de nosotros, Señor! ¡Oh, Dios, aumenta nuestra fe! porque ¡TODO ES POSIBLE PARA QUIEN CREE!

Aumenta nuestra fe, porque sin ella es imposible que Te agrademos, Padre. Queremos estar con toda nuestra atención puesta en Ti, con nuestros ojos puestos en Jesucristo y con nuestro corazón abierto al poder del Espíritu Santo. Queremos también agradecerte, ¡oh, Padre!, por la victoria que nos concedes en Jesucristo, porque está escrito que en Jesús *"en todo esto salimos vencedores gracias a aquel que nos amó"* (Rm 8,37) y murió por nosotros.

Queremos agradecerte, ¡oh, Padre!, por el poder y por la autoridad que nos concedes en el nombre precioso de Jesucristo, nuestro Señor, porque está escrito también que *"si le pedimos algo según su voluntad, nos escucha"* (I Jn 5,14). Te agradecemos, ¡oh, Padre!, porque Tú nos tratas como hijos y herederos y nos das el poder del nombre de Jesús. Y con este nombre, el nombre de Jesucristo, nuestro Salvador, es que con toda confianza llegamos ahora, ¡oh, Dios!, a tu trono de gracia y Te pedimos: Padre santo, mira a tu pueblo, Padre, en el nombre de Jesús. Mira hacia nosotros, Padre, y enciende en nuestro corazón la fe ardiente en Jesucristo. Enciende en nuestro corazón el amor a la Palabra de Dios. Enciende en nuestro corazón la confianza, la esperanza, la fe, la caridad. Enciende en nuestro corazón la fuerza, el poder, la virtud del Espíritu Santo para que seamos cristianos lúcidos, para que podamos levantar el nombre de Jesús, para que podamos proclamar la Palabra de Jesús, para que podamos vivir la fe en Jesucristo, nuestro Señor.

¡Oh, Padre!, vela por nuestro pueblo, vela por nuestra nación, vela por nuestros gobernantes y ten misericordia de nosotros, Te lo pedimos en el nombre de Jesús. ¡Oh, Padre!, vela por las familias. ¡Cuánta destrucción! ¡Cuánto pecado! ¡Cuánta infidelidad, cuánta impureza, cuánta pelea, cuánta discusión, cuánta separación, cuánta discordia! Imploramos la Sangre redentora de Jesucristo, nuestro Señor, sobre todas las familias y, con el poder y la autoridad de Jesús, mandamos que el demonio sea encadenado y que, por el poder y la autoridad de Jesucristo, se retire de las familias cristianas que en este momento oran y piden la misericordia divina.

Te pedimos, ¡oh, Padre!, que tu paz y tu amor se instalen en el hogar del hermano que está orando con nosotros, y la armonía y la felicidad vuelvan a reinar en su corazón.

Señor Jesús, tu pueblo está enfermo. Enfermo del alma, enfermo del cuerpo. Nosotros clamamos en este momento: sana a tu pueblo de toda falta de amor, sana a tu pueblo de toda mezquindad de corazón, de toda tristeza y angustia, de toda falta de fe y perdón. ¡Oh, Señor, socorre a tu pueblo en los problemas económicos! ¡Socorre a tu pueblo en los problemas de crecimiento espiritual! ¡Socorre a tu pueblo, Señor, que está falto de tu gracia y de tu amor!

¡Oh, Dios!, ten misericordia de nosotros, en el nombre de Jesucristo, tu Hijo amado.

Amén y amén.

CÓMO SALVARSE

"¡Y con todo eran nuestras dolencias las que él llevaba! [...]
Por sus desdichas justificará mi Siervo a muchos y las culpas
de ellos él soportará [...] ya que indefenso se entregó a la muerte
y con los rebeldes fue contado, cuando él llevó el pecado de
muchos, e intercedió por los rebeldes" (Is 53,4,11.12).

El Señor ha colocado en nuestro corazón una sed de contemplación muy grande. En un libro de santa Teresa de Ávila leí que debemos vivir abrazados a la cruz de Jesús. ¿Sabes qué es vivir abrazado a la cruz de Cristo? El objetivo de este capítulo, pues, es conducirte a entender lo que significa vivir abrazado a Jesús en la cruz.

El otro día, hablando sobre este tema en un grupo de oración, una persona me buscó al final para decirme:

– No me agrada mucho la idea de vivir abrazada a Jesús en la cruz.

Le respondí, y te respondo a ti y a mí mismo:

– El diablo huye a la cruz; si huyes a la cruz, te agarrará el diablo. ¿Qué prefieres?

El diablo huye de la cruz. ¡Esto es una gran verdad!

Haz ahora la señal de la cruz (todos debemos hacerla varias veces al día): **por la señal de la santa cruz, de nuestros enemigos líbranos, Señor, Dios nuestro.** Cuando así oramos, pedimos que Dios nos libre de nuestros enemigos... ¿por medio de qué? ¡Por la señal de la santa cruz! Entonces ¿cómo podríamos imaginarnos que podemos vivir sin abrazar a Jesús en la cruz?

Podrías preguntar: "'¿Abrazar a Jesús en la cruz' significa situarse imaginariamente hace dos mil años, presenciando la crucifixión de Jesús, llegar hasta Él, abrazarlo y ser lavado en la Sangre redentora?"

También esto, con los ojos de la fe. Pero, hermano mío, "abrazar a Jesús en la cruz" significa buscar con frecuencia la salvación que Jesús nos dio en su cruz.

La cruz de Cristo significa redención, salvación, reconciliación; significa el paso de la muerte espiritual a la vida, la victoria sobre satanás, sobre las tentaciones y sobre el pecado. Verifiquemos lo que nos dice Isaías respecto a Jesús en la cruz:

"¡Y con todo eran nuestras dolencias las que él llevaba y nuestros dolores los que soportaba! [...] y con sus cardenales hemos sido curados" (Is 53,4-5).

Si queremos entregar a Jesús nuestras enfermedades y nuestros sufrimientos, mentales y físicos, los sufrimientos de nuestra familia y de nuestra vida material, necesitamos ir, por la fe, hasta su cruz, pues es allí donde Jesús toma sobre Sí nuestras enfermedades y sufrimientos, y nos sana.

Dice Isaías:

"Cuando él llevó el pecado de muchos" (Is 53,12).

Es en la cruz donde nuestros pecados e iniquidades son lavados en la Sangre de Jesús. La Sangre de Jesús lava nuestros pecados, nos libera de la muerte – el precio del pecado –, y nos da la vida, la vida de Dios en nosotros. La Sangre de Jesús nos concede una vida de salvación, de cura y liberación, que se nos da por el propio amor de Dios.

Ya vimos que la cruz de Cristo es victoria y salvación, pero también es motivo de alegría y no solamente de pesar por el sufrimiento de Jesús, porque la victoria de Jesús en la cruz es la victoria que nos salva, es la victoria de la vida sobre la muerte.

Podrías preguntar: "Yo quiero salvarme y entregar mi sufrimiento, ansiedades y tentaciones a Jesús, y quiero también que mi pecado sea lavado en su Sangre, pero... ¿qué debo hacer?"

Una vez más, la Palabra de Dios nos responde y lo que vamos a exponer ahora está basado en estos dos textos de la Biblia:

"En cambio el publicano, manteniéndose a distancia, no se atrevía ni a alzar los ojos al cielo, sino que se golpeaba el pecho, diciendo: '¡Oh, Dios! ¡Ten compasión de mi, que soy pecador!'" (Lc 18,13).

"Convertíos y que cada uno de vosotros se haga bautizar en el nombre de Jesucristo, para remisión de vuestros pecados; y recibiréis el don del Espíritu Santo" (Hch 2,38).

La primera exigencia para nuestra salvación es la fe. ¡Necesitamos creer en Jesús! *"Sin fe es imposible agradarle [a Dios]"* (Hb 11,6). La fe es la condición de la salvación. Si no creemos en Jesús y en su redención, nunca seremos salvados. Es necesario tener fe. La Palabra de Dios dice que la fe es don de Dios, pero este don se desarrolla por el conocimiento de la Palabra, que nos lleva a conocer cada vez más a Jesús y, conociéndolo, crecerá nuestra fe en Él.

"El que crea y sea bautizado, se salvará; el que no crea, se condenará" (Mc 16,16).

No nos olvidemos también de que *"la fe sin obras está muerta"* (St 2,26).

La segunda exigencia necesaria para nuestra salvación, cura y liberación, es nuestro arrepentimiento. Oremos:

Señor Jesús, yo me arrepiento de mis pecados y de esta vida que sólo me ha dado sufrimientos y me ha llevado a la muerte espiritual, a las tinieblas y a la amargura. Quiero una vida de paz, de hijo de Dios, una vida llena de tu amor. Quiero ser salvado y sanado por Ti, Jesús.

Así, por medio de nuestro arrepentimiento, damos el segundo paso para nuestra salvación.

El tercer punto es Jesús quien nos lo enseña: debemos pedir ser salvados por su Sangre. La oración, que Él mismo enseña y debemos hacer, es ésta: ¡JESÚS, TEN COMPASIÓN DE MÍ! ¡JESÚS, TEN MISERICORDIA DE MÍ!

"En cambio el publicano, manteniéndose a distancia, no se atrevía ni a alzar los ojos al cielo, sino que se golpeaba el pecho diciendo: '¡Oh, Dios! ¡Ten compasión de mí, que soy pecador!'" (Lc 18,13).

Pidiendo la misericordia de Dios estaremos pidiendo ser lavados y purificados en la Sangre redentora de Jesús, porque la compasión, la misericordia de Dios, se ejerce en nuestra vida a través de la Sangre de Jesús derramada en la cruz.

Vivir abrazado a la cruz es vivir buscando la salvación todos los días y momentos de nuestra vida.

"Trabajad con temor y temblor por vuestra salvación"
(Flp 2,12).

La Palabra de Dios dice que: "todos somos pecadores" (ver I Jn 1,8). Teniendo fe en Jesús, como pecadores arrepentidos de nuestros pecados e implorando su misericordia, estaremos en todo momento entregando nuestros sufrimientos y nuestros pecados a Jesús en su cruz.

Al abrazar la cruz estaremos abrazados a la vida, a la alegría, a la paz y al amor de Dios. Recibimos estas gracias porque Dios nos ama y realiza este amor en nosotros a través de Jesús, de Jesús crucificado.

Fue en la cruz donde Él derramó su Sangre para nuestra salvación, para que dejáramos las tinieblas y viniéramos a la luz, para que dejáramos la muerte espiritual y recibiéramos la vida y para que dejáramos también de ser una simple criatura para hacernos hijos amados de Dios Padre. Y siendo amados de esta manera, sólo podemos decir:

¡Gracias, Señor! ¡Gracias, Dios mío, Rey, Señor y Salvador!

¡No tenemos miedo a la cruz, no! El que tiene miedo a la cruz es el diablo, el demonio. ¡Nosotros, no! ¡Nosotros somos hijos de Dios! Quede esto bien claro para todos: nosotros debemos vivir aferrados a la cruz de Cristo porque, si nos apartamos de la cruz de Cristo, nos atrapará el demonio. No tenemos fuerza alguna, somos débiles y nos conocemos bien: pequeños, pecadores y enfermos. ¡Pero Jesús es fuerte! Jesús es poderoso y con Jesús nadie puede. Sólo Jesús tiene poder para derrotar a los demonios, a satanás y nuestras tentaciones. Por eso Santa Teresa nos indica que debemos vivir abrazados a la cruz de Jesús. Hermano, no te alejes de ella; tú ya sabes lo que representa la vida lejos de la cruz de Jesús... sufrimientos, enfermedades físicas y mentales, tinieblas, peleas y muerte espiritual.

Recapitulemos, no es exagerado insistir: vivir abrazados a la cruz de Jesús es buscar la salvación cada día y cada momento de nuestra vida. Jesús venció la muerte y realizó el amor de Dios, nuestra redención, en su cruz y en su resurrección. ¡Jesús está vivo y en medio de nosotros! ¡Aleluya!

"Permaneced en mí, como yo en vosotros" (Jn 15,4).

La muerte de Jesús fue el momento de la justificación, el momento en que la justicia divina fue satisfecha y se realiza en nuestra vida. Después Jesús resucita... y hoy tenemos a Jesús resucitado en nuestro corazón. Pero la Palabra de Dios dice claramente ¡que somos pecadores! Por tanto, si somos pecadores – atención –, necesitamos vivir "pegados" a la cruz de Jesús para que nuestros pecados sean constantemente lavados en su Sangre. Que el Espíritu Santo de Dios ilumine nuestro corazón para que podamos entender todo esto.

Imaginemos ahora la cruz de Cristo. Dirígete a ella cargando tus fardos sobre los hombros, cargando tus sufrimientos, enfermedades y pecados y colócalos ahora sobre el cuerpo llagado de Jesús.

"¡Y con todo eran nuestras dolencias las que él llevaba y nuestros dolores los que soportaba!" (Is 53,4).

Jesús está tomando sobre Sí nuestras enfermedades, sufrimientos y pecados. ¿Vamos a entregar definitivamente todos esos males a Jesús?

Podrías pensar, como ya he oído decir a muchas personas: "Pero Él ya ha sufrido tanto..." Escucha al Señor:

"¡Para esto morí! Morí precisamente para tomar tus sufrimientos y tus pecados sobre Mí. Para eso fue para lo que morí. ¡Morí por ti, porque te amo y para darte vida y liberarte de la muerte espiritual!"

"Pues el Hijo del hombre ha venido a buscar y salvar lo que estaba perdido" (Lc 19,10).

Ahora, como dice la Palabra de Dios:

"Me confiaste a los pechos de mi madre" (Sal 21,10).

También nosotros, como Juan, recostemos la cabeza en el pecho de Jesús. Dejemos que Jesús nos ame y también que la Sangre de Jesús corra sobre nosotros. Para eso Él murió: *"Venid a mí todos los que estáis cansados y agobiados, y yo os aliviaré"* (Mt 11,28). Y ¿a dónde vamos sino a la cruz de Jesús? Jesús quiere amarnos, porque en la cruz es donde Él vive su amor por nosotros.

¡Jesús te ama! Ahora... tú, que crees en Jesús y estás arrepentido de tus pecados, di en tu corazón: ¡JESÚS, TEN MISERICORDIA DE MÍ! Di, en voz alta: ¡JESÚS, TEN COMPASIÓN DE MÍ! Di una vez más: ¡JESÚS, TEN COMPASIÓN DE MÍ!

Pon tu mano en el corazón, siente el amor de Jesús por ti y en oración pide nuevamente con el corazón abierto, tú que necesitas tanto de amor, de redención, de misericordia, de alegría, de paz y de vida, pide y recibe todo eso que quieres y necesitas: ¡JESÚS, TEN COMPASIÓN DE MÍ! ¡JESÚS, TEN MISERICORDIA DE MÍ! ¡JESÚS, TEN COMPASIÓN DE MÍ!

Jesús quiere derramar su compasión y su misericordia en nuestro corazón. ¡Él murió para esto! Pero, al mismo tiempo, Él respeta nuestra voluntad. Una vez más te exhorto, a ti que estás indeciso, aprovecha este momento de la gracia de Dios. Ahora, con el corazón abierto y voz fuerte, ora: ¡JESÚS, TEN COMPASIÓN DE MÍ! ¡JESÚS, TEN COMPASIÓN DE MÍ! ¡JESÚS, TEN COMPASIÓN DE MÍ! ¡JESÚS, TEN COMPASIÓN DE MÍ!

¡Aleluya! ¡Jesús tiene misericordia! Tener misericordia es tener compasión en el corazón que tanto ama, en el corazón que derramó sangre y agua por mí y por ti. ¿Sabías que una parte de esta sangre fue derramada por ti, *"para obedecer a Jesucristo y ser rociados con su sangre"* (I P 1,2)?

Aprópiate de esta parte que es únicamente tuya, porque Él te ama, y di: ¡Gracias, Jesús, por tanto amor! ¡Gracias, María!

"A vosotros, gracia y paz abundantes" (I P 1,2).

¡Atención! Si estás alejado de la Iglesia desde hace mucho tiempo, busca cuanto antes un sacerdote, haz una buena confesión de tus pecados y recibe la ratificación, la certeza del perdón de Dios, a través del sacramento de la reconciliación.

ORACIÓN

¡Ven, Señor Jesús! ¡Ven, Señor! Ven con tu amor y poder. Inunda nuestro corazón de fe. Inunda nuestro corazón con tu Espíritu Santo. Abre nuestros ojos para que podamos contemplarte en tu cruz.

María santísima, intercede por nosotros en este momento.

Hermano, éste es un momento de gracia y de amor. Leemos la Palabra de Dios y nuestro corazón es ungido por el poder de la Palabra. La fe ha brotado en nosotros. Estos minutos de oración pertenecen sólo a Jesús, a ti y al Espíritu Santo que actúa en tu corazón.

Jesús nos ama tanto que murió por ti y por mí. Murió como hombre, cargó en su cruz todo el sufrimiento humano, sufrió como hombre. Él estaba tan cargado del pecado de la humanidad, que sintió hasta el abandono de Dios a causa del pecado. Pero Él nos salvó: resucitó de entre los muertos y hoy está, en su humanidad gloriosa, a la derecha de Dios Padre. Jesús quiere que estemos con Él, ése es nuestro lugar por causa de nuestra fe. Por eso, con mucho amor, vamos ahora a adorar a nuestro Dios.

¡Oh, Padre eterno, oh, Padre de las misericordias, Tú eres nuestro Dios, y cuán grande es tu amor por

nosotros! ¡Oh, Padre!, nosotros Te damos gracias porque expresas todo este amor por nosotros, que fuimos hechos a tu imagen y semejanza, al darnos a tu propio Hijo, que se encarnó en el seno de la Virgen María, se hizo carne semejante en todo a la nuestra, menos en el pecado, y se tornó el autor y consumador de nuestra fe, por su sacrificio redentor realizado en el Calvario.

Señor Jesús, Hijo unigénito del Padre, Te adoramos, creemos que Tú eres el Dios encarnado, el Verbo de Dios; creemos que Tú eres verdadero Dios y verdadero hombre; creemos que Tú eres el Cordero de Dios y que Te inmolaste por nosotros para que nos reconciliáramos con el Padre, para que pudiéramos tener acceso a la vida eterna. Creemos que abriste un camino nuevo para nosotros, a través de tu Cuerpo clavado en la cruz. Creemos que Tu Sangre, siendo Sangre del Hijo de Dios hecho hombre, tiene poder para redimir todo el pecado de la humanidad.

Señor Jesús, creemos, verdaderamente, que fuera de Ti no existe salvación para el ser humano, porque sólo Dios puede salvar. Creemos que Tú eres Dios y Te proclamamos como nuestro único Salvador y Señor.

Ahora, invocamos tu Espíritu Santo, que realiza en nuestro espíritu esta obra de fe y que actualiza para cada uno de nosotros tu salvación en el Calvario.

Jesús, por la fe llegamos a Ti, en aquel momento tan crucial en que morías por nosotros. Sí, Señor, nos acercamos a tu cruz. Te contemplamos y Te vemos, hombre de dolores, tan dilacerado por el pecado de la humanidad, que perdiste hasta el aspecto humano, que ya no parecías más un ser humano, tan cargado de dolores, ultrajes y blasfemias.

¡Señor, expresión del amor de Dios, el propio amor de Dios por toda la humanidad! Señor, nuestros pecados están ahí en tu cuerpo, ya moriste por cada uno de ellos, ya sufriste por ellos, y nosotros decimos: sí, Jesús, nosotros aceptamos la salvación que nos ofreces. Ahora, abrazados a tu cruz al lado de María, colocamos nuestra cabeza a tus pies, Señor, besamos tus pies llagados y sentimos tu Sangre correr sobre nosotros.

Jesús, en este cuerpo tan sufrido queremos ahora colocar nuestros pecados: es el único modo que tenemos de ser salvados, Señor. Nos reconocemos pecadores y Te pedimos perdón, porque nuestros pecados Te costaron tanto sufrimiento. Te pedimos perdón por los pecados de toda la humanidad, especialmente el pecado de no creer en Ti, de no creer que Tú eres el Dios encarnado, que Tú eres Dios y el único Salvador.

Te pedimos perdón, Señor, por la búsqueda desenfrenada de poder, salvación, cura y liberación fuera de Ti. Hoy sabemos que sólo Tú puedes salvar.

Señor, en estas tus llagas que tanto Te dolieron, colocamos las enfemedades de nuestra alma y nuestro cuerpo. Sí, Jesús, colocamos nuestro prejuicio, orgullo, soberbia, vanidad, angustia, miseria humana, humillación y fracaso. En tu cuerpo, Señor, colocamos nuestras enfermedades y todos nuestros dolores; los colocamos sobre Ti porque creemos en tu Palabra, que dice que por tus llagas hemos sido sanados (ver Is 53,5).

Señor, colocamos en tu corazón todo nuestro miedo. ¡Ten misericordia de nosotros! Tú Te hiciste pecado para que fuéramos hechos justicia de Dios en Ti.

Y como hijos tuyos, ¡oh!, Padre eterno, Padre de nuestro Señor Jesucristo, queremos, con Jesús, alabarte, adorarte y glorificarte. Queremos darte todo honor y toda gloria. Estamos siendo liberados, Señor, por la fe en Jesús, del miedo a la muerte y la enfermedad, del miedo a perder nuestros seres queridos, del miedo al futuro.

Muchas gracias, Señor, porque en la cruz de Cristo obtenemos la victoria sobre toda depresión, tristeza, soledad y angustia.

Señor, Te agradecemos porque ahora comprendemos que, si Cristo resucitó en su humanidad, nosotros también resucitaremos.

Gracias, Padre, porque en la cruz de Cristo recibimos la vida eterna y es con Jesucristo que, con mucha alegría y gratitud, Te damos todo honor, alabanza y gloria, majestad, poder y dominio. Tú eres nuestro Dios, nuestro Señor, nuestro Padre de amor.

Ruega por nosotros, santa Madre de Dios.
En el nombre de Jesús.

Amén y amén.

8

NADA TEMAS, PORQUE JESÚS ESTÁ CONTIGO

"Porque yo, Yahvéh, tu Dios, te tengo asido por la diestra. Soy yo quien te digo: 'No temas, yo te ayudo'" (Is 41,13).

Este texto es bello, maravilloso, y viene después de esta afirmación:

"No temas, que contigo estoy yo" (Is 41,10).

Se cuenta que un misionero, estando de viaje por el África, participó en una feria de esclavos de una tribu aborigen y, viendo un niño que estaba entre los esclavos, se compadeció de él.

El niño estaba triste, deprimido, herido y enfermo, profundamente abatido y el misionero sintió tocado su corazón de amor y compasión por él.

En el momento en que el niño iba a ser subastado, el misionero se arriesgó y lo compró y, tomándolo de la mano, lo llevó afuera de la aldea. Al llegar allí, le dijo:

– ¡Ahora ya eres libre, puedes irte!

Pero el muchacho comenzó a llorar desesperadamente, y el misionero le preguntó:

– ¿Qué te pasa? ¡Te estoy dejando libre, puedes irte!

Y el niño le dijo:

– ¡No, no, no me suelte! – y se aferraba desesperadamente a la mano del misionero. – ¡No me suelte! ¡No me suelte!

– ¿Pero por qué no puedo soltarte? – preguntó.

– ¡Si usted me suelta... si no me aferro a su mano, ellos me agarran y de nuevo me hacen esclavo!

En nuestra vida espiritual sucede lo mismo.

¡Aférrate a la mano de Dios!

"Aferrarse a la mano de Dios" significa aferrarse a Jesucristo, el Verbo de Dios. Significa aferrarse a la Palabra del Señor, confiando en que Dios cumplirá en nuestra vida lo que su Palabra nos promete.

Cuando nos sentimos seguros en la mano de Dios, estamos salvos, como aquel muchachito que, andando por el parque asido de la mano de su padre, nada teme porque sabe que su padre es fuerte y ningún muchacho malo podrá venir hasta él porque su padre lo protege.

Esto sucede con nosotros en nuestra vida espiritual. Si dejamos la mano de Dios, los espíritus del mal nos hacen de nuevo esclavos del pecado. Por eso, hermano mío, necesitamos agarrarnos a la mano de Dios. Vamos a volver a la Palabra de Dios:

"No temas, que contigo estoy yo; no receles, que yo soy tu Dios" (Is 41,10).

¡Nada temas! ¿Por qué sentir miedo si estamos aferrados a la mano de Dios? Pero si no estás asido de la mano de Dios, sí, hay que tener miedo, porque los espíritus del mal podrán hacerte nuevamente esclavo.

"Porque nuestra lucha no es contra la carne y la sangre, sino contra los Principados, contra las Potestades, contra los Dominadores de este mundo tenebroso, contra los Espíritus del Mal que están en las alturas" (Ef 6,12).

Y ellos son más fuertes que nosotros, pero son infinitamente más débiles que el poder del nombre de Jesús, que el poder de la Sangre redentora de Jesucristo, nuestro Señor. ¡Aleluya!

¡AFÉRRATE A LA MANO DE DIOS!

¡La victoria es nuestra! Y esta victoria que es nuestra, por la fe en el nombre de Jesús, fue conquistada en la cruz de Cristo.

Así es: ¡levanta la cabeza! Agarrados a la mano de Dios no debemos temer nada, porque por la fe en el nombre de Jesús nos apropiamos de la victoria sobre el pecado, sobre la muerte y sobre toda contaminación maligna que pueda haber en nosotros.

¡Jesús es victoria! ¡Jesús es la mano de Dios! La mano de Dios tiene un nombre, y ese nombre es Jesús.

Podrías preguntar: "¿Qué tengo que hacer para aferrarme a la mano de Dios?"

"Aferrarnos a la mano de Dios" significa agarrarnos de Jesucristo, nuestro Señor, de la Sangre de Jesús, del poder redentor que este nombre contiene: Jesús, el Verbo; Jesús la Palabra. "Agarrarnos a la mano de Jesús" es estar con la Biblia en el corazón y en la mano, leyendo, meditando, viviendo y atestiguando, en el poder y en la fuerza del Espíritu Santo, la Palabra del Señor todos los días de nuestra vida.

En Jesús somos libres, no solamente nosotros, sino, a través de nosotros, toda nuestra familia. Agárrate a la mano de Jesucristo, nuestro Señor, pues esta mano te sostendrá. No temas, no temas, sigue adelante y no mires hacia atrás...

Orando, confiando y confesando que Jesús es el Señor, sigue agarrado a la mano de Dios. Ahora, juntos todos, con la cabeza erguida, extendiendo las manos al cielo, vamos a alabar, bendecir y glorificar a Dios, que, por amor, a través de Jesús, extiende ahora su mano hacia cada uno de nosotros y nuestra familia.

Nada temas, pues Jesús está contigo, y tú con Él en la victoria de la cruz sobre el pecado, la muerte y todo mal. ¡Aleluya!

No temas, ¡yo te ayudo!

Y yo te pregunto: *"Si Dios está por nosotros, ¿quién estará contra nosotros?"* (Rm 8,31). ¡Sólo Jesús salva! ¡Sólo Jesús sana! ¡Sólo Jesús libera! Jesús es vencedor y esta victoria sobre el mal es nuestra, siempre que tengamos a Jesús en el corazón.

¡Jesús, ten compasión de mí! Sangre de Jesús, lávame, lava a mi familia!

Así mismo, no lo olvides, si quieres leer la Biblia, léela, y si no quieres, lee hasta que vengan las ganas. Así es. ¿Quieres un ejemplo?

Cecilia da testimonio de que su marido bebía mucho y ella vivía muy disgustada con él. Leyendo la Palabra del Señor, su corazón fue tocado y ella comenzó a sentir un gran amor por su marido; empezó entonces a ayudarlo en todo lo que necesitaba.

Un día, mientras llevaba a la cama a su marido borracho, comenzó a cantar: "Aférrate a la mano de Dios." El marido, aunque borracho, dijo que dejaría de beber. A partir de aquel día nunca más bebió.

Necesitamos leer siempre la Palabra del Señor. Si estás con sueño cuando vas a leer la Palabra de Dios, lee en voz alta, caminando en tu cuarto, en la sala, para que por tus oídos la Palabra del Señor penetre en todo tu ser y puedas así asirte de la mano de Dios.

"No temas, que contigo estoy yo; no receles, que yo soy tu Dios. Yo te he robustecido y te he ayudado, y te tengo asido con mi diestra justiciera" (Is 41,10).

La Palabra de Dios nos dice: *"Y te tengo asido con mi diestra justiciera"*. La victoria es nuestra, si estamos firmes en la mano de Jesús.

¡Aférrate a la mano de Dios!

Hagamos ahora el gesto de cerrar nuestra mano y sentir la mano de Dios agarrando nuestra mano. Aferrémonos a la mano de Dios fuertemente. Vamos todos juntos a cerrar nuestros ojos e imaginar la mano de Jesús llegando hasta la nuestra y agarrémosla con fuerza. Con la otra mano vamos a sostener la Palabra de Dios.

¿Tienes miedo? Levanta la cabeza, tú eres vencedor sobre los problemas de tu familia, de tu matrimonio, de tus hijos. Aprópiate ahora de esta victoria, la victoria conquistada en la Sangre de Jesús, que nos lava y nos redime de todo mal.

Esta mano victoriosa venció al demonio, a satanás, a los espíritus del mal. Los venció en la cruz y esta mano está extendida hacia nosotros, porque ¡DIOS NOS AMA! ¡Aleluya!

Ahora, de la misma manera que extendiste tu mano hacia Dios a través de Jesús y la agarraste con fuerza, te pido que en el nombre de Jesús, extiendas tus manos hacia las de tu marido (o las de tu esposa), hijos y amigos, y las agarres con fuerza, en un gesto de amor, perdón y reconciliación.

Dios nos ama y de la misma manera que Él nos ama, Él quiere amar a tu cónyuge, hijos y amigos, y para eso necesita de ti. Sí, y ¡qué alegría nos da el ser usados como instrumentos de amor, perdón y salvación del hermano!

Dios quiere hacer de tu mano la mano de Él. Deja que Dios también tome la mano de tu hermano, amándolo, perdonándolo y salvándolo a través de ti.

¡Qué bello es todo esto! Y si quieres agradecer a Dios por el gran amor que Él tiene por ti, hazlo también extendiendo la mano hacia tus hermanos, pues ellos, como nosotros, por el bautismo, son templos vivos del Espíritu Santo de Dios; y Dios, que habita en ellos, a través de ellos extenderá su mano hacia ti.

¡NO TEMAS, SIGUE ADELANTE Y NO MIRES HACIA ATRÁS; AFÉRRATE A LA MANO DE DIOS Y SIGUE!

ORACIÓN

Señor Jesús, aferrados a tu mano, pedimos ahora el perdón de nuestros pecados y clamamos: ¡Jesús, ten compasión de nosotros! Invocamos el poder de tu Sangre redentora para que nos sane y libere de todo mal. Empleando el poder de tu nombre y de tu Sangre, expulsamos toda obra maligna que pueda haber en nuestra vida y en la vida de nuestra familia. Sánanos, Señor, libéranos, Señor, para que podamos todos juntos proclamarte como nuestro único Señor y Salvador.

¡Te agradecemos y alabamos por tanto amor y nos comprometemos Contigo, Señor Jesús, a hacer de nuestra mano tu mano, llevando tu amor, salvación y cura a nuestros hermanos!

¡Ven, Señor Jesús!, ¡Ven, Señor, ven con tu poder!, ¡Ven con tu amor! Inunda nuestro corazón con tu Espíritu Santo. ¡Tú eres bienvenido, oh, Espíritu Santo de Dios!

Nos abrimos totalmente a Ti. Inúndanos con tu presencia y con tu gracia. ¡Santifícanos, Señor!

Hermano mío, éste es el momento que esperábamos tanto. Momento de presencia intensa de Jesús. ¡Jesús está en medio de nosotros! Él prometió que, cuando dos o más estuvieran reunidos en su nombre, Él estaría en medio de ellos (ver Mt 18,20); Él está presente.

Unámonos en este momento de oración. Estemos como María, la hermana de Marta y Lázaro, a los pies de Jesús. Ella escogió la mejor parte, escogió a Jesús (ver Lc 10,42). También nosotros escojamos ahora al Señor. Démosle estos minutos y, juntos con Jesús, vamos a adorar a nuestro Dios que es Padre, que es Hijo, que es Espíritu Santo.

¡Padre santo, Padre de amor, Padre de bondad, Padre de misericordia, Te adoramos, oh, Padre! ¡Te glorificamos! Te rendimos todo honor, gloria, poder y majestad. Te agradecemos por tu inmensa bondad, por tu inmensa misericordia para con nosotros y por todo el cuidado que tienes con tus hijos.

Queremos agradecerte por Jesucristo, nuestro Señor, nuestro Salvador, nuestro Dios presente, siempre con nosotros, sosteniéndonos, amparándonos, salvándonos, liberándonos, sanándonos, conduciéndonos a Ti, ¡oh, Padre! Queremos agradecerte y alabarte porque Jesús es verdaderamente el único camino hacia Ti. Él es la verdad, Él es la vida. Y la verdad de Jesús nos ha iluminado y la vida de Jesús ha llenado nuestra vida de paz, de plenitud, de amor, de esperanza, de gozo, de alegría en el Espíritu Santo.

Te agradecemos, Padre, porque derramaste tu Espíritu en nuestro corazón. Te agradecemos, hoy especialmente, por toda esta renovación en el Espíritu Santo que vive tu Iglesia. Te agradecemos, Señor por todas las vidas que están siendo tocadas y transformadas por Jesucristo, en el poder del Es-

píritu Santo. Te agradecemos por la Renovación Carismática que se va extendiendo por toda la faz de la tierra. Te agradecemos por cada grupo de oración que surge, por cada hermano que busca a Jesucristo. Te agradecemos por la renovación de nuestro bautismo, por ese nuevo derramamiento de tu Espíritu Santo, que nos transforma y nos llena de tu gracia, de tu presencia; que hace viva la Palabra de Dios para nosotros; que nos lleva a amar a nuestros hermanos; que nos concede el gusto por la oración; que nos revela el sentido profundo y real de la santa misa y nos conduce a alimentarnos cada día con el pan de vida que es Jesucristo, nuestro Señor.

Te agradecemos, Padre, por todo lo que hemos visto, oído y sentido, participando de tu poder; por todas las curas, por todos los milagros que hemos experimentado en nuestra vida. Te agradecemos, Te bendecimos por ese aumento de fe que has puesto en los corazones. Te agradecemos porque Jesús está cada vez más vivo, más real, más presente en nosotros, y por este poder transformador de Dios en su Iglesia. ¡Te agradecemos, Te bendecimos, Te adoramos!

Jesús, hoy queremos pedirte que infundas en nosotros tu Espíritu. ¡Visita nuestro corazón y llénanos de tu Espíritu Santo!

¡Ven, Santo Espíritu! ¡Ven, Señor! ¡Ven a resucitar en nosotros lo que está muerto, ven a encender la fe en nuestro corazón, ven a vivificarnos con tu gracia, con tu poder! Ven a manifestar la resurrección de Jesucristo en nuestra vida. Ven a santificar a nuestra familia. ¡Ven a darnos unidad de fe, de esperanza y de caridad!

¡Ven, Santo Espíritu! En nombre de Jesús, Te pedimos que realices en medio de nosotros señales y prodigios. Visita ahora mismo los corazones que están llenos de odio y resentimiento, que sufren con la falta de amor y de perdón. Visita a las personas deprimidas, a quienes no tienen fe, a los que no tienen unión en el hogar, no tienen amor en la familia. Visita a aquellos que tienen miedo, inseguridad, y tienen el corazón rencoroso, ansioso, triste y lleno de amargura. ¡Tócalos, Señor!

¡Oh, Espíritu Santo de luz, haz desaparecer las tinieblas e inunda los corazones con tu paz, con tu amor y con tu presencia!

Señor Jesús, Te agradecemos, Te proclamamos único Señor y Salvador nuestro, y Contigo elevamos nuestro corazón a Dios Padre en adoración, alabanza y acción de gracias en la unidad del Espíritu Santo, con la intercesión de María santísima.

¡Amén y amén!

¡EL NOMBRE DE JESÚS TIENE PODER!

"Pedro le dijo: 'No tengo plata ni oro; pero lo que tengo, te doy: en nombre de Jesucristo Nazareno, ponte a andar'" (Hch 3,6).

¡EL NOMBRE DE JESÚS TIENE PODER!

Yo quiero dar un testimonio personal de este pasaje de la Palabra de Dios.

Hace algunos días, debido a un problema muy serio, yo estaba orando, con la cabeza baja, abatido. Pero la Palabra de Dios, que es viva y eficaz, tocó mi corazón con este texto: *"En nombre de Jesucristo, ponte a andar."* Y luego empecé a repetir varias veces: *"En nombre de Jesucristo, ponte a andar. En nombre de Jesucristo, ponte a andar."* Y sentí que Jesús me hablaba a través de San Pedro y a través de su Palabra: *"En nombre de Jesucristo, ponte a andar. En nombre de Jesucristo, ponte a andar."* Y mi cabeza comenzó a levantarse, y aquel problema que yo vivía fue disminuyendo cada vez más, y se fue volviendo tan pequeño, tan pequeño... ante la grandeza de Dios, ante la grandeza de Jesús vivo y resucitado, del poder del nombre de Jesús. Y lentamente el problema fue alejándose de mí, mi cabeza se fue levantando... la alegría y la paz fueron dominando mi corazón, y experimenté el poder del nombre de Jesucristo, nuestro Señor.

"En nombre de Jesucristo, ponte a andar."

¡EL NOMBRE DE JESÚS TIENE PODER!

"Invocar el nombre de Jesús a través de la Palabra de Dios" significa tener con nosotros a Jesucristo vivo; Jesucristo presente en nuestra oración, en nuestra vida, en nuestra familia, en nuestro trabajo, en nuestro ambiente social.

Vamos a leer nuevamente los Hechos de los Apóstoles:

> *"Pedro le dijo: 'No tengo plata ni oro, pero lo que tengo, te doy: en nombre de Jesucristo Nazareno, ponte a andar'"*
>
> (Hch 3,6).

Ahora es tu turno, hermano mío. Sí, tú que estás deprimido: **En el nombre de Jesucristo y por el poder de la Sangre de Jesús, levanta tu cabeza y ¡mira con confianza hacia adelante!** pues: **¡EL NOMBRE DE JESÚS TIENE PODER!**

El nombre de Jesús tiene el poder de acabar con tu depresión y con las heridas de tu corazón.

> *"Él sana a los de roto corazón, y venda sus heridas"*
>
> (Sal 146,3).

Y tú, que estás tan triste, abatido, sin esperanza: **¡En el nombre de Jesucristo Nazareno, ponte a andar!** ¡Deja la tristeza ahora! ¡Deja que la tristeza sea lavada por el poder de la Sangre de Jesús!

Ahora es tu turno, tú que estás lleno de ira, rencor, odio y resentimiento en el corazón: **¡En el nombre de Jesucristo, perdona! ¡Perdona! ¡Perdona! Perdona en el nombre de Jesús.** Coloca el poder de la Sangre de Jesús entre tú y esta persona por la que tienes ira, resentimiento y amargura.

Llegó tu turno: ¡sí, el tuyo! Tú que estás enfermo físicamente, con dolor de cabeza, con dolor a los riñones, de estómago; y más aún, tú que estás en cama, abatido, enfermo: **¡En nombre de Jesucristo, ponte a andar!** Sí, hermano

90

mío, siéntate en esa cama, en nombre de Jesús. Creo que Jesús está oyendo nuestra oración. Yo creo en el poder de la Palabra de Dios, porque Jesús está levantando tu cabeza y quiere que tú ahora te sientes en tu cama. Extendemos nuestras manos como lo hizo Pedro con aquel cojo de nacimiento, y con fe ordenamos que tú, ahora, en nombre de Jesús, te levantes de tu lecho.

¡Aleluya! ¡Alabado y bendito sea el nombre de Jesús!

¡EL NOMBRE DE JESÚS TIENE PODER!

Tú que estás preocupado por los bienes materiales (cuántas personas nos llaman por teléfono con problemas materiales...) sí, tú que estás preocupado con tu empleo, con la falta de dinero, con el costo de la vida, la inflación, el dinero que no alcanza hasta el fin del mes, levanta los ojos hacia Jesús. ¡Jesús es vida!, Jesús nunca ha dejado faltar nada en tu casa. Lo que queremos, muchas veces, es lo superfluo, porque la necesidad primera para nosotros y para nuestros hijos Jesús la ha atendido, ¿verdad? **En nombre de Jesús, deja las preocupaciones.** ¡Jesús quiere alegría, Jesús quiere paz, Jesús quiere vida en tu corazón!

Mis queridas hermanas que nos llaman por teléfono, que nos escriben o buscan personalmente en los grupos de oración, todas ustedes preocupadas por el matrimonio, el esposo que sale y no vuelve... Y tú también, preocupado por tu mujer que se está volviendo superficial, sólo lee revistas, ve telenovelas, se desentiende del hogar... Tenemos un mensaje para todos ustedes: **¡En nombre de Jesucristo, ponte a andar!**

Madres y padres preocupados por la educación y el ambiente de sus hijos, Jesús quiere que tengan confianza en Él. Jesús quiere que confíen en el poder de su resurrección. ¡Jesús es vida, Jesús es victoria! Imploren el poder de la Sangre de

Jesús sobre sus hijos y sobre sus andanzas y amistades. Imploren el poder de la protección de los ángeles del Señor. Oren para que el Señor mande a sus ángeles para que protejan su vida y su familia. **¡En nombre de Jesucristo, ponte a andar!**

Y ahora, orando con autoridad, como hizo San Pedro mirando al cojo, miramos directamente hacia ti que vives con problemas familiares, y te decimos con fe: **¡En nombre de Jesucristo, ponte a andar!** Extiende siempre tus manos hacia Jesús para recibir de Él, a través de su Palabra, sabiduría, poder y discernimiento para conocer y vivir la voluntad de Dios, educar a tus hijos y salvar tu matrimonio, en nombre de Jesucristo.

> *"Pedro le dijo: 'No tengo ni oro ni plata; pero lo que tengo, te doy: en nombre Jesucristo Nazareno, ponte a andar'"*
> (Hch 3,6).

Ahora yo quiero invitarte a ti para que cantes con nosotros. Sí, canta con nosotros esta canción que todos conocen:

> "Oro ni plata tengo,
> mas lo que tengo te doy:
> ¡En nombre de Jesucristo,
> ponte a andar!
> Y fue andando y saltando
> y alabando a Dios. } (bis)
> ¡En nombre de Jesucristo,
> ponte a andar!"

Nuestro corazón ya se va poniendo alegre, ¿no es verdad?

Lo que apasiona en la Palabra de Dios es que está viva y es eficaz. Ella produce fruto en el mismo instante en que la leemos, la meditamos y nos apropiamos de ella. El Señor libera instantáneamente, como en el caso de San Pedro, que, extendiendo las manos hacia el cojo, dijo: *"¡En el nombre de Jesucristo Nazareno, ponte a andar!"* (Hch 3,6). Y el cojo comenzó a andar.

¡EL NOMBRE DE JESÚS TIENE PODER!

Alabado sea Dios. El Señor una vez más, por medio de su Palabra, extendió sus manos hacia nosotros y nos dio esperanza y alegría, nos dio su paz, nos dio vida. ¡Vida! Vida que no experimentábamos antes de conocer a Jesús, y ahora la tenemos abundante en nuestro corazón.

Por la fe que la Palabra de Dios suscita en nuestro corazón, Jesús realiza cada día y a cada momento prodigios y milagros en nosotros.

¡Jesús está vivo! ¡Jesús te ama! ¡Jesús me ama! ¡Jesús nos ama! ¡Aleluya!

¡EL NOMBRE DE JESÚS TIENE PODER!

Jesús quiere que usemos el poder de su nombre y el poder de su Sangre redentora.

¡EL NOMBRE DE JESÚS TIENE PODER!

Jesús murió para salvarnos, y Él quiere que tú uses cada vez más el poder de su nombre. Él lo dijo en su Palabra:

"En mi nombre expulsarán demonios" (Mc 16,17).

Él delegó este poder a todos aquéllos que creen en su nombre. "Invocar el nombre de Jesús" significa invocar a la persona de Jesús para estar presente en aquel momento y en aquella situación. Y "en nombre de Jesús", significa permitir que Jesús actue en nosotros y en las circunstancias, a través del poder de su nombre y del poder de su Sangre redentora.

Usa, hermano mío, cada vez más, el poder de este nombre que salva, que sana, que libera, que es salvación; de este nombre que es la alegría de los hombres, que es la vida, vida en plenitud; de este nombre que es Jesucristo, nuestro Señor.

¡Amén! ¡Aleluya!

ORACIÓN

¡Ven, Espíritu Santo, ven, Señor! En nombre de Jesús, inunda nuestro corazón con tu fuerza, con tu presencia y con tu amor, y úngenos en este momento para que esta oración sea agradable al Padre.

Padre santo, Padre de nuestro Señor Jesucristo, Te amamos mucho, ¡oh, Padre!, y Te alabamos porque Tú eres nuestro Dios, Tú eres el Señor poderoso del universo, el Creador de todas las cosas visibles e invisibles y Tú eres nuestro Padre de amor, que cuida de nosotros, porque somos hijos tuyos, en Jesucristo, nuestro Señor.

Te adoramos, Padre, Te agradecemos y también Te pedimos perdón, porque muchos de nosotros olvidamos que somos tus hijos y que podemos recurrir a tu amor y tu poder en todo instante, a cada momento, a cada minuto de nuestra vida, por Jesús, porque la Sangre de Tu Hijo unigénito nos abrió un camino nuevo hacia Ti.

Padre santo, en este momento queremos cubrirnos con esta Sangre preciosa, derramada por cada uno de nosotros en la cruz. En este momento de oración y de fe, queremos renovar las promesas de nuestro bautismo y, en tu presencia, Padre, en la unidad de todos los hermanos que están orando con nosotros, queremos renunciar a satanás.

En nombre de Jesús, renunciamos a satanás, a sus obras y todas sus seducciones. Con el poder y la autoridad de Jesucristo, renunciamos a todo pacto y alianza que nosotros, o miembros de nuestra familia, hayamos hecho con el mal y con las obras unidas al mal. Renunciamos a todo lo que es pecado y tinieblas en nuestra vida, en nombre de Jesús.

Padre, reconocemos que somos tus hijos. Proclamamos a Jesús como único Señor de nuestra vida. Proclamamos a Jesús nuestro Salvador. Creemos que Jesús murió por nosotros, para pagar el precio de nuestro pecado, que resucitó de entre los muertos y está vivo, sentado a tu derecha, con poder y gloria, para nunca más morir. Queremos vivir para amarlo y servirle todos los días de nuestra vida.

Queremos agradecerte, Padre, por tu Espíritu que, derramado en nuestro corazón, suscita la fe en nuestra vida. Te alabamos y Te bendecimos por el poder que concediste al nombre de Jesús y doblamos nuestras rodillas, y también nuestro corazón, ante este nombre, porque sabemos que a los hombres no nos fue dado otro nombre por el cual podamos ser salvados (ver Hch 4,12). Hoy invocamos el nombre santo de Jesucristo sobre nosotros, sobre nuestra vida, sobre nuestro hogar, sobre nuestra familia y sobre todo aquello que nos concierne.

¡Señor Jesús, ten piedad de nosotros! ¡Ten compasión de nosotros! Clamamos ahora el poder del nombre de Jesús sobre la opresión que satanás ejerce en nuestra vida y, con el poder y autoridad de

Jesucristo, nuestro Señor, reprendemos y expulsamos de nosotros, de nuestro hogar, de nuestra casa, de nuestra familia, de nuestros hijos, de nuestro cónyuge, todo mal, toda tiniebla y toda obra demoníaca. Y el maligno tiene que retirarse, porque al oír el nombre de Jesús se doblan todas las rodillas en el cielo, en la tierra y en los abismos (ver Flp 2,10). Está escrito y así es.

Padre eterno, en el poder del nombre de Jesús, Te pedimos la cura de las familias, la cura de los hogares, la cura de las relaciones conyugales, de las relaciones entre padres e hijos, entre hermanos. También pedimos la cura interior de los corazones, donde se alojan tantos odios y rencores, tantos celos y envidias. Tú tienes el poder de renovar todas las cosas en Jesucristo, tu amado Hijo. Entonces, Señor, renueva el amor en los corazones de los cónyuges, coloca tu paz en las familias, suscita la fe en los corazones más endurecidos, para que se abran y acojan la salvación en Jesucristo.

Tu poder es infinito, Padre santo, y por todo este poder que estás derramando sobre nosotros ahora, unidos a Jesús, con María santísima, unidos a tu Iglesia, unidos a los ángeles y santos del cielo, queremos alabarte, adorarte, bendecirte y agradecerte. ¡Glorificado seas por siempre!

¡En el nombre de Jesús!

Amén y amén.

¡SÓLO EL AMOR DE DIOS CAMBIA EL CORAZÓN DEL HOMBRE!

"Porque tanto amó Dios al mundo que dió a su Hijo único, para que todo el que crea en él no perezca, sino que tenga vida eterna" (Jn 3,16).

Recibí una carta de cinco hojas y de la primera a la última línea la desesperación era total. La señora había sido abandonada por el marido ocho meses antes, la segunda hija se había hecho adicta a las drogas y se había ido a otra ciudad. La señora estaba profundamente amargada, y decía que hacía muchas cosas para conservarse viva, porque ya no le encontraba sentido a su vida. Sentía mucha nostalgia de su marido, a quien amaba y ama profundamente y también nostalgia de su hija que había abandonado el hogar por drogadicción. Su vida estaba hecha jirones. Decía que iba a la iglesia, frecuentaba un grupo de oración, participaba en retiros. Durante sus retiros lloraba desde que entraba hasta que salía; lloraba la tremenda angustia que tenía en su corazón. Desesperadamente pedía que le escribiera porque había sido tocada por Jesús a través del libro *Rabboni*.

Leí y releí la carta varias veces; durante tres días pensé cómo responder a esta señora tan enamorada de su marido, tan llena de nostalgia por su hija y con una vida tan sin sentido. No recuerdo haber leído una carta con tanta amargura como ésta. Me preguntaba y le preguntaba a Jesús: "¿Qué le digo a esta mujer? Ya debe haber oído tantos consejos en sus retiros y grupos de oración..." En la carta decía haber buscado sacerdotes, hermanas, conventos, consejerías y nada; nada lograba alejar la angustia de su corazón.

Tres días después, el Señor Jesús me dio la respuesta. ¡Aleluya! Pero dio la respuesta no sólo para esta señora, sino también para ti y para mí. Puede ser que tú no estés viviendo un problema tan grande, pero seguramente estás viviendo un problema.

Ahora yo sé que existe una solución para la vida de esta hermana y también hay una solución para ti, para mí; y para todos nuestros problemas. Y la solución es una sola. Está justamente en este texto de la Palabra de Dios:

"Porque tanto amó Dios al mundo que dió a su Hijo único, para que todo el que crea en él no perezca, sino que tenga vida eterna" (Jn 3,16).

¡SÓLO EL AMOR DE DIOS CAMBIA EL CORAZÓN DEL HOMBRE!
¡SÓLO EL AMOR DE DIOS CAMBIA EL CORAZÓN DE LA MUJER!

¡El amor, el amor, el amor! Necesitamos el amor, carecemos de él. El amor es más que todos los bienes materiales, el amor es más que la vida misma. El hombre y la mujer no viven sin amor, principalmente, sin el más grande amor que existe: el amor de Dios.

"Tiene mi alma sed de Dios, del Dios vivo" (Sal 41,3).

Mientras nuestra alma no encuentre y no viva el amor de Dios, nada saciará la sed de nuestra alma... ni la del alma de aquella mujer. El amor de Dios es la solución para su vida, el amor de Dios es la solución para mi vida y para la tuya.

"En Dios sólo descansa, oh alma mía, de él viene mi esperanza" (Sal 61,6).

Tengo la seguridad de que te estás preguntando: "¿Qué necesito hacer para experimentar y vivir el amor de Dios?"

La respuesta está en la Biblia. *"Tanto amó Dios..."* – de tal manera somos amados por Dios, que Él envió a su Hijo, Jesús, *"para que todo el que crea en él no perezca sino que tenga vida eterna"*. Y ésta no comienza solamente después de nuestra muerte. Comienza aquí y ahora: en el momento en que abrimos nuestro corazón y recibimos a Jesucristo vivo como nuestro único Dios, Rey, Señor y Salvador. ¡Aleluya!

Quizás te estés preguntando: "¿Pero, cómo? ¿Cómo se lleva a cabo esto en nuestra vida?"

Voy a darte un ejemplo. El otro día vi una película de un profundo amor humano. Era la historia de una mujer de edad, judía, que por imposición de su hijo aceptó como su chófer particular a un señor negro, un poco más joven que ella. En un primer momento en el corazón de ella había una aversión muy grande hacia él. No porque fuera racista, sino porque no quería que le quitaran su libertad. Con el tiempo y como fruto del diálogo que se fue estableciendo entre ellos, nació una amistad, una relación de amor y respeto humano tan profunda entre los dos que, al final, ya hacia el fin de su vida, ella se sentía más a gusto con su amigo chófer que con su propio hijo.

En nuestra vida espiritual sucede lo mismo: el amor de Dios no se instala en nuestro corazón como un pase de magia, y muchas veces queremos que sea así. Como a esta señora y a su chófer les fue necesario – ¡atención! – el tiempo y el diálogo para que ese amor se fuera sedimentando y construyendo, con Dios sucede lo mismo. A veces tenemos una experiencia fuertísima del amor de Dios, pero también nosotros necesitamos tiempo y diálogo para acoger el amor de Dios, y también necesitamos algo que está en la propia Palabra de Dios: disciplina.

"Camino de vida los reproches y la instrucción" (Pr 6,23).

Para que el amor de Dios se instale permanentemente en nuestra vida – y pido que el Espíritu Santo grabe esto en nuestro corazón –, **necesitamos mucha disciplina en nuestra vida espiritual.** La palabra es ésta: **necesitamos ser disciplinados.**

¿Por qué digo esto? Porque en razón de la convivencia de aquella señora con su chófer, fue naciendo entre ellos un amor muy grande. De la misma manera la convivencia nuestra con Dios nos hará conocer y vivir el gran amor.

"Como el Padre me amó, yo también os he amado a vosotros; permaneced en mi amor" (Jn 15,9).

El instrumento para que el amor entre aquella mujer y su conductor se instaurase fue el diálogo, la palabra. Dios actúa con nosotros del mismo modo. La manera como Dios nos ama es también a través del diálogo, de su Palabra. Y es justamente allí donde entra Jesús. Jesús es la Palabra, Jesús es el Verbo de Dios.

Necesitamos disciplina, necesitamos mucha disciplina. El amor que la película retrata no es el amor carnal, que viene del sexo, sino el amor que viene del respeto mutuo, de la admiración, del servicio, de la convivencia y del diálogo. Con Dios pasa igual: el diálogo y el amor se van estableciendo lentamente entre nosotros y Dios por medio de Jesús, a través de la oración, de la lectura y la vivencia de la Palabra de Dios.

Así como el chófer diariamente iba a la casa de aquella señora y poco a poco iban conversando y conociéndose, también nosotros, si somos disciplinados, si nos detenemos diariamente para orar, para conversar con Jesús, para leer la Palabra de Dios, para participar en la misa y en la Eucaristía, para ir a un grupo de oración, también este diálogo con Dios se irá estableciendo y experimentaremos el amor de Dios.

"Permaneced en mi amor" (Jn 15,9).

Dios nos manifestará su amor a medida que lo conozcamos a través de su Palabra y lo busquemos en la oración; se nos dará en amor a través de la Eucaristía, el Pan vivo, la Carne y la Sangre de Jesús. Dios establecerá también su amor en nuestro corazón a través de la oración, la alabanza y la adoración que realizamos juntamente con nuestros hermanos en un grupo de oración. A medida que nos disciplinemos en nuestra vida de oración, en la lectura diaria de la Biblia, en la frecuencia a la Eucaristía y al grupo de oración, percibiremos cada vez más plenamente el amor de Dios por nosotros.

Sólo el amor de Dios cambiará el corazón de aquella mujer que nos escribió, y **sólo el amor de Dios cambiará nuestro corazón.**

Yo tengo ahora la solución para el problema de aquella señora y también la solución para nuestros problemas, y la solución está en el conocimiento, la vivencia y la experiencia diaria y constante del amor de Dios y, como ya se dijo, este amor se establece en nuestro corazón por la disciplina y la perseverancia.

"Permaneced en mi amor" (Jn 15,9).

Necesitamos dedicar tiempo a Jesús, para que el amor de Dios nos llegue a través de su Hijo. Es preciso leer, meditar y vivir la Palabra en el poder del Espíritu Santo. Necesitamos tener nuestra oración personal como nos enseñó el mismo Jesús: "Vete a tu cuarto, cierra la puerta y ora, y Dios, que conoce lo que está en tu corazón, te recompensará" (cita libre de Mt 6,6). Es preciso ser amado por Dios en el silencio de nuestro corazón, porque nuestro corazón y nuestra alma tienen sed de Dios.

Yo tengo el remedio y la solución para tu vida, para mi vida y la de aquella mujer: **el amor de Dios**. Dios te ama profundamente pero tú sólo vivirás ese amor si disciplinas tu vida espiritual.

Los novios se encuentran para intercambiar entre sí el amor humano. Necesitamos "enamorar" a Dios a través de Jesucristo, nuestro Señor. Como los enamorados, necesitamos invertir tiempo, uno con el otro.

Aquella hermana se sentía tan solitaria y con una vida tan sin sentido, que se esforzaba por mantenerse viva. Pero yo tengo la seguridad de que la persona que es amada por Dios ¡no sufre soledad! ¡La persona que es amada por Dios tiene el sentido de la vida! ¡Nadie vive solo, cuando tiene a Dios en el corazón!

Entonces, atención: el amor de Dios tiene el poder de suplir todas las necesidades de nuestra alma. Pero se necesita disciplina.

"Permaneced en mí, como yo en vosotros" (Jn 15,4).

Que no te acuestes por la noche sin haber tenido durante el día un tiempo de oración y de lectura de la Palabra de Dios. Para esto es necesario establecer un horario. Tenemos hora para trabajar, para almorzar, para comer, y para tantas cosas... Es necesario también disciplinar nuestra vida de oración, reservar un tiempo por la mañana, quizás los primeros minutos de la mañana, para orar y leer la Palabra de Dios. Así el amor de Dios se irá estableciendo en nuestro corazón día tras día y seremos transformados por ese amor poderoso, y también perdonaremos y amaremos más a nuestros hermanos. Pedir amor a quien no tiene amor para dar es imposible; el hombre solamente amará en la medida en que sea primero amado por Dios. ¡Aleluya!

"En Dios sólo descansa, oh alma mía, de él viene mi esperanza" (Sal 61,6).

Aquí está la solución para ti: si quieres ser feliz, alegre, si quieres vivir la paz, si quieres tener vida – no una vida cualquiera, sino vida en plenitud, vida de hijo de Dios – busca y experimenta cada día, cada hora, el amor de Dios. Sólo así tendrás todo aquello que deseas en tu vida y podrás también difundir entre tus hermanos, tan faltos de amor, todo el amor que Dios está derramando en tu corazón.

"Como el Padre me amó, yo también os he amado a vosotros"
(Jn 15,9).

¡Jesús te ama! ¡Jesús te ama profundamente!

"Permaneced en mi amor" (Jn 15,9).

Sólo te pido esto en nombre de Jesús: deja que Dios te ame, a través de la lectura de la Biblia, de la Eucaristía, de la oración personal y de un grupo de oración. Que Dios nos bendiga y que el Espíritu de amor sea derramado ahora en nuestro corazón.

¡Amén! ¡Aleluya!

ORACIÓN

¡Ven, Señor Jesús! ¡Ven, Señor! Toca nuestro corazón. Llénanos con tu presencia, con tu amor y con tu poder. Únenos, Señor, en una sola fe, en un solo bautismo, en un solo espíritu, para que juntos podamos adorar a nuestro Dios.

Jesús, Te amamos tanto, Tú eres el amor del Padre para con nosotros. Te agradecemos, Jesús, por tu *sí* al Padre, por tu obediencia. Sabemos que Tú eres

nuestro intercesor, que estás día y noche delante del Padre, intercediendo por nosotros; por eso ahora, Señor, unidos a tu corazón, queremos abrirnos totalmente a tu amor, a tu Espíritu, para que podamos Contigo, en Ti y por Ti adorar a nuestro Padre eterno.

Padre santo, Padre de nuestro Señor Jesucristo, Padre de amor, Padre creador, Te amamos, Padre, te adoramos. Creemos en tu amor, creemos en tu poder creador, creemos en tu perdón, creemos que Tú eres un Dios lleno de compasión y misericordia para con nosotros. Creemos, Padre, que Tú nos amaste tanto que nos diste a Jesucristo, tu Hijo unigénito, como nuestro único y suficiente Salvador.

¡Oh, Padre!, hoy, movidos por tu Palabra, queremos estar en tus manos, queremos entregarnos totalmente, incondicionalmente, a Ti y a tu amor.

Señor Jesús, creemos en Ti, creemos que Tú eres nuestro Salvador, creemos que todo el amor de Dios está en Ti, y que solamente a través de Ti podemos sentir, experimentar y probar este amor que salva, sana y libera. Señor, Tú nos amaste tanto que nos diste una prueba inmensa de este amor: Tú moriste por nosotros en la cruz y derramaste tu Sangre para pagar el precio de nuestro pecado.

Jesús, Te amamos, Te agradecemos y queremos decir *sí* a este amor tan grande. Hoy queremos abrir nuestro corazón en un acto de fe, de mucha confianza, de mucha entrega y queremos acogerte en nuestra vida. Jesús, tú vas a encontrar nuestro corazón en mal estado, vendido al pecado, sin alegría, sin esperanza, lleno de amargura, lleno de dolor y de angustia... Pero tu Palabra nos llena de esperanza y de fe, y sabemos que solamente Tú puedes expulsar de nosotros toda esta angustia, este continuo estado de búsqueda de algo que ocupe este vacío interior que tanto nos perturba.

Señor, Tú eres la vida y Te acogemos en nosotros hoy; Te recibimos como nuestro único Salvador. Ten misericordia de nosotros, ven a nuestro corazón y lávanos en tu Sangre preciosa, perdona nuestros pecados. Ten misericordia de los tiempos en que andábamos en la ignorancia de tus leyes, de tu Palabra y de tu amor. Ten compasión de todo el odio que encuentras en nuestro corazón. Ten compasión, Señor, de tanta amargura, de tanto rencor, de tantas ideas de suicidio, de tanto deseo de venganza. Jesús, ten misericordia. Tú eres el Salvador, el Libertador. Mira, Señor, las áreas de nuestro ser que están sometidas al mal. A veces no logramos vencer las tentaciones y nos entregamos al pecado y al vicio. ¡Ten misericordia! Y, por el poder de tu nombre y de tu Sangre, líbranos, porque nuestra confianza y nuestra esperanza están en Ti.

Sabemos que Tú eres todopoderoso, que estás vivo, que venciste a la muerte, al pecado, al demonio y que todo aquél que está en Ti es una nueva criatura que ya no está bajo el dominio de satanás, bajo el dominio del pecado, sino bajo tu gracia.

Señor, llénanos ahora con tu Espíritu Santo de amor, danos la gracia de ser inundados por este amor divino, de ser lavados en el agua viva de tu Espíritu Santo. Que esta fuente de agua viva brote en nuestro corazón con toda su fuerza hasta la vida eterna, limpiándonos, purificándonos, vivificándonos, sanándonos, liberándonos y salvándonos.

¡Oh, Espíritu Santo de Dios, amor del Padre y del Hijo, ven a nuestro corazón! Tú, que eres la luz divina, expulsa las tinieblas que existen dentro de nosotros, quema toda inmundicia que encuentres en nosotros. Ven, Espíritu de amor, en nombre de Jesús, carga nuestras aflicciones, dolores, enfermedades del cuerpo y del espíritu, en nombre de Jesús, y haz de nosotros nuevas criaturas. Ven, Espíritu de Dios, ven, Señor, y sana nuestro corazón.

Jesús, Te entregamos nuestro corazón y, con ello nuestros sufrimientos y dolores, nuestros pecados y toda rebeldía que existe dentro de nosotros. Te entregamos todo el apego a las cosas materiales, toda falta de conciencia de pecado, todas las tinieblas y todos nuestros descarríos.

Clamamos misericordia, Señor, queremos tu amor. No existe nada que podamos querer más que tu amor para inundar nuestro corazón. ¡Oh, Jesús!, si llegamos a gozar de este amor divino, sabremos que ninguna otra cosa va a separarnos de Ti: ni la tribulación, ni el sufrimiento, ni la persecución, ni la muerte; nada nos podrá separar de tu amor. Queremos experimentar este amor, y nada más; queremos ser canales de tu amor, porque es vida, es cura, es vida eterna, es liberación y santificación.

Ven, Espíritu de Dios; ven, Señor, habita en nosotros y, fluyendo a través de nosotros, llega a nuestros hermanos.

¡Oh, Padre!, cuánta gratitud hay en nuestro corazón, porque sabemos que tu Espíritu está actuando, porque sentimos tu amor. Ya no seremos las mismas personas: nacimos de nuevo, somos hijos tuyos, estamos llenos de tu Espíritu, tu vida está en nosotros, y tu vida es cura, es liberación y salvación.

Padre, gracias por Jesús, gracias por tu amor, gracias por tu vida en nosotros.

¡Jesús, permanece siempre con nosotros!

Espíritu Santo de Dios, danos el don de la oración, danos el entendimiento de tu Palabra, revélanos la presencia de Jesús en la Eucaristía, insértanos en tu Iglesia, danos el gusto por la vida en el Espíritu.

¡Oh, Virgen María, camina con nosotros e intercede por nosotros!

A Ti, Padre eterno, nuestro amor y nuestra gratitud.

En nombre de Jesús.

Amén y amén.

¡EN MEDIO DE LA ALABANZA HABITA DIOS!

"¡Dad gracias a Yahvéh, porque es bueno, porque es eterno su amor!" (Sal 135,1).

"¡Alabad! ¡Alabad y alabad! Alabad al Señor porque es bueno. Alabad al Señor Jesús, porque es eterna su misericordia" (cita libre de Sal 135,1).

Jesús te ama, a tu familia, a tu nación y a todo el mundo.

El otro día, desperté bien temprano y fui a orar en el silencio del amanecer y de mi corazón. Mi alma estaba con sed de Dios: *"En Dios sólo el descanso de mi alma"* (Sal 61,2). Sabía que Jesús conversaría conmigo, pues ésta era la cuarta mañana que despertaba para orar y todas las veces oí la voz del Señor en mi corazón.

Jesús me dijo: *"Estos mensajes no son para ti, quiero que los transmitas a otras personas."* Y esto fue lo que escuché primero del Señor: **"¡ALABANZA! ¡ALABANZA! ¡ALABANZA!"**

El Señor Jesús nos pide alabanza. Jesús quiere un pueblo de alabanza. Vamos a alabar a Dios por lo que Él es y por su amor, porque Dios es amor; vamos también a alabar a Jesús porque Él es nuestro único Dios, Salvador y Señor. Él es quien salva, sana y libera. Vamos además a alabar al Espíritu Santo de Dios, al Espíritu santificador, al Espíritu que hace nacer y renacer a cada hora a Jesucristo vivo en nuestro corazón.

Alabemos el poder redentor de la Sangre de Jesús que derrota el mal, derrota a satanás.

108

"Ellos le vencieron gracias a la sangre del Cordero"

(Ap 12,11).

Alabemos a Jesús en las alegrías, en las tristezas, en la enfermedad y en la salud. ¡Todas las rodillas (y también los problemas) se doblan ante el nombre de Jesús! (ver Flp 2,10).

Yo no tengo duda de que quien te está pidiendo eso es Jesús, y lo que Él nos pide es alabanza:

"Dichoso el pueblo que la aclamación conoce" (Sal 88,16).

Hoy, ahora, a partir de este momento, Jesús pide que cada uno se integre a un gran ejército, una gran familia: el pueblo de la alabanza. Que todos nos comprometamos con Él a hacer, durante todos los días de nuestra vida, por lo menos cinco minutos de alabanza.

"A Yahvéh, mientras viva, he de alabar, mientras exista salmodiaré para mi Dios" (Sal 145,2).

Este compromiso de alabar, Jesús quiere que se extienda a otras personas: parientes, vecinos, amigos, familiares y compañeros de trabajo. Quiere que todos integren éste gran ejército: ¡el pueblo de la alabanza!

Vamos a formar un gran "ejército del *sí*"; un gran "ejército del *sí*" a la Palabra de Dios, a Jesús, a la alabanza.

Te pedimos que, a partir de este momento, nos escribas para dar tu nombre y te comprometas con Jesús a ser parte de este gran grupo de alabanza.

En medio de las alabanzas Dios habita, y va a habitar en medio de esta gran familia, de este gran ejército de alabanza. El lema es éste:

¡CAMBIA TÚ, CAMBIA TU NACIÓN, POR EL PODER DE LA ALABANZA!

"Dichoso el pueblo que la aclamación conoce" (Sal 88,16).

Millares y millares de personas ya están comprometiéndose con Jesús, formando parte del pueblo de la alabanza, alabando diariamente. ¿Y tú? Alabemos a Dios por su pueblo, pues cada pueblo es un pueblo de Dios y necesitamos, en Jesús, rescatarlo para Dios.

Nuestros padres eran más felices que nosotros, porque alababan mucho más. Jesús quiere corregir esto a partir de hoy, a partir de ahora, a través de ti y de este ejército que va a formarse: ¡el pueblo de alabanza! ¡Aleluya!

Diga *sí*. Escríbanos, dando su nombre y el de cada miembro de su familia, para que un grupo de la Raboni Editora interceda por usted, por sus familiares y por sus necesidades.

Haga listas en su grupo de oración y envíelas. Haga listas en su trabajo, en su familia, entre sus amigos y vecinos que se comprometan a alabar al Señor Jesús por lo menos cinco minutos diarios.*

Escríba: Yo (...................) voy a alabar al Señor Jesús por lo menos cinco minutos diarios y por toda la vida.

"Dichoso el pueblo que la aclamación conoce" (Sal 88,16).

¡CAMBIA TÚ, CAMBIA TU NACIÓN, POR EL PODER DE LA ALABANZA!

Vamos a permitir que Jesús cambie nuestro corazón de piedra por un corazón de carne que alabe, bendiga y glorifique a Jesucristo como a nuestro único Dios, Señor y Salvador.

---

* Nuestra dirección es: Raboni Editora – Caixa Postal 1792 – CEP 13001-970 – Campinas – SP – Brasil.

Y esto es lo que queremos: alabar, agradecer y salmodiar. Queremos decir: **¡Aleluya! ¡Jesús!, muchas gracias por esta llamada. Yo digo *sí*, Jesús. Yo digo *sí*.**

Personas que ya han comenzado con estos cinco minutos de alabanza atestiguan el gran cambio que ya se ha hecho sentir en su vida y en su familia.

¡Alaba! ¡Alaba! ¡Alaba!

¡CAMBIA TÚ, CAMBIA TU NACIÓN, POR EL PODER DE LA ALABANZA!

Haz el ensayo de alabar

En la tristeza... ¡ensaya alabar!

En el sufrimiento... ¡ensaya alabar!

En la soledad... ¡ensaya alabar!

En los problemas de matrimonio... ¡ensaya alabar!

En los problemas con los hijos... ¡ensaya alabar!

En los problemas de trabajo... ¡ensaya alabar!

En las dificultades financieras... ¡ensaya alabar!

En los problemas de odio, amargura, resentimiento... ¡ensaya alabar!

En la alegría... ¡ensaya alabar!

En la enfermedad... ¡ensaya alabar!

En la salud... ¡ensaya alabar!

En la paz... ¡ensaya alabar!

En la depresión... ¡ensaya alabar!

En los dolores... ¡ensaya alabar!

En las dificultades familiares... ¡ensaya alabar!

Cuando todo esté bien... ¡ensaya alabar!

Cuando todo esté mal... ¡ensaya alabar!

Al despertar, levántate sonriendo y... ¡ensaya alabar!

Cuando tengas miedo en el corazón... ¡ensaya alabar!

Cuando un pensamiento no sea del Señor...
    ¡ensaya alabar!

Cuando seas tentado por el enemigo... ¡ensaya alabar!

Cuando seas tentado a pecar... ¡ensaya alabar!

En la debilidad, cuando pienses que eres fuerte...
    ¡ensaya alabar!

¡Ensaya alabar!

Sí, ensaya alabar...

Después escríbenos para contarnos lo sucedido.

Alabado y bendito sea el nombre de Jesucristo Nuestro Señor. ¡Amén!

Te glorificamos porque Te hemos dicho *sí* a Ti, Jesús, ¡Aleluya!

Haz de la alabanza del profeta Daniel (capítulo 3) tu alabanza:

"Obras todas del Señor, bendecid al Señor,
alabadle, exaltadle eternamente" (v. 57).

"Sol y luna, bendecid al Señor,
alabadle, exaltadle eternamente" (v. 62).

"Astros del cielo, bendecid al Señor,
alabadle, exaltadle eternamente" (v. 63).

"Lluvia toda y rocío, bendecid al Señor,
alabadle, exaltadle eternamente" (v. 64).

"Pájaros todos del cielo, bendecid al Señor,
alabadle, exaltadle eternamente" (v. 80).

"Todos los que veneran al Señor, bendecid al Dios de los dioses, alabadle, confesadle,
porque es eterna su misericordia" (v. 90).

Las aves del cielo Te cantan, y nosotros, unidos a ellas, vamos a alabar al Señor Jesús por siempre. ¡Amén, Aleluya!

"A Yahvéh, mientras viva he de alabar, mientras exista salmodiaré para mi Dios" (Sal 145,2).

Y la Palabra de Dios prosigue confirmándonos:

"Dichoso el pueblo que la aclamación conoce" (Sal 88,16).

El mundo hoy no es feliz, pero será feliz porque alabará al Señor Jesús, y esto depende de ti.

Sí, de ti, no sólo al formar parte de este ejército de la alabanza, sino también al llevar otras personas al pueblo de la alabanza.

"Bendice a Yahvéh, alma mía, del fondo de mi ser, su santo nombre" (Sal 102,1).

"¡Desde que sale el sol hasta su ocaso sea loado el nombre de Yahvéh!" (Sal 112,3).

"Dad gracias a Yahvéh, porque es bueno" (Sal 135,1).

¡CAMBIA TÚ, CAMBIA TU NACIÓN, POR EL PODER DE LA ALABANZA!

Di *sí* a Jesús, como María dijo *sí* a Dios y quiere que todos nosotros hagamos lo que Jesús pide. Entonces, di ahora:

– ¡Sí!

Repite:

– ¡Sí, Jesús!

Con Jesús es con quien hacemos este compromiso de integrar el pueblo de la alabanza. El poder de la alabanza cambiará tu corazón, tu familia, tu ciudad y todo el mundo.

¡CAMBIA TÚ, CAMBIA TU NACIÓN, POR EL PODER DE LA ALABANZA!

Finalmente, el Señor vuelve a confirmarnos mediante el salmo 137:

"Te darán gracias, Yahvéh, todos los reyes de la tierra, porque oyen las promesas de tu boca" (v. 4).

Depende de ti, hermano, y de cada uno de nosotros.

ORACIÓN

Te alabarán, Señor Jesús, todos los reyes de la tierra, porque ante tu nombre, Jesús, todas las rodillas se doblan, en el cielo, en la tierra y en el abismo (ver Flp 2,10). **Y nosotros entregamos a tus manos esta gran obra de alabanza que nos has pedido. Pedimos que tu Sangre redentora purifique nuestro corazón para que aumente todavía más el don de alabarte.**

Oramos a Dios Padre para que Él envíe el poder, la fuerza y los dones de su Espíritu Santo, para que no solamente podamos nosotros decir *sí*, sino para que también podamos llevar a otras personas a decir *sí* y a comprometerse a alabar a Jesús todos los días durante cinco minutos, a alabarlo por todas las cosas, por su ciudad, por el mundo.

¡CAMBIA TÚ, CAMBIA TU NACIÓN, POR EL PODER DE LA ALABANZA!

¡Ven, Señor! Ven con tu Espíritu Santo, ven con tu poder, inunda nuestro corazón con tu presencia y

libera hoy en nosotros el don de la alabanza, el don de la adoración, el don de la acción de gracias.

Hermano, éste es un momento de mucha gracia para todos nosotros, y por esto yo te exhorto a que te unas a nosotros con el corazón bien abierto. Ponte en la presencia de Jesús y, juntos con Jesús, vamos a alabar, adorar y glorificar a nuestro Dios que es Padre, Hijo y Espíritu Santo.

¡Oh!, Señor, Dios altísimo, en este momento queremos unirnos a la Virgen María, Madre de Dios, para que podamos alabarte y adorarte. Queremos unirnos a los ángeles y santos del cielo, a todas las milicias celesti. les, para, juntos, alabarte y adorarte. Queremos unirnos a toda la Iglesia de Jesucristo en la faz de la tierra, para que, unidos en un solo corazón, podamos adorar a nuestro Dios. En este momento, ¡oh, Padre!, abrimos nuestro corazón e invocamos la fuerza y el poder del Espíritu Santo de Dios, para que sea Él quien alabe y adore al Dios altísimo dentro de nosotros.

Nosotros nos entregamos a Ti, Espíritu Santo. Ven, en nombre de Jesús. Ven, Señor, y ¡suscita la alabanza en lo más profundo de nuestro ser!

¡Oh, Padre eterno!, Tú eres nuestro Creador, Tú eres nuestro Padre de amor. Nosotros Te amamos, Te ofrecemos toda la alabanza de nuestro corazón. Queremos alabarte por toda nuestra vida. Queremos hacer tu voluntad, queremos celebrar tu gloria porque Tú eres bueno, Tú eres santo, Tú eres el único digno de recibir todo honor, alabanza, gloria y majestad.

Señor Jesús, Te adoramos, Tú eres el Altísimo y nuestro Salvador, Dios con el Padre y con el Espíritu Santo. Nos entregamos a Ti incondicionalmente, porque Tú pagaste el precio de nuestra salvación y porque Te pertenecemos. Somos tuyos. Pueblo tuyo y pueblo de alabanza. Hoy, Jesús, conságranos en tu Espíritu Santo como un pueblo de alabanza, como un pueblo de adoración, y que, en todas las circunstancias de nuestra vida, surja la alabanza de nuestro corazón, de nuestros labios, y suba a los cielos en tu nombre, Señor.

¡Oh, Espíritu de Dios!, Tú que habitas dentro de nosotros, Tú que eres el Consolador, Tú que eres el Dios de amor, el Dios de sabiduría infinita, Te amamos, Te adoramos te bendecimos, Te glorificamos y nos rendimos a Tu presencia. Ven, Espíritu Santo, ven y conduce nuestra vida, ungiéndonos con tu poder y concediendo a nuestro corazón el don de la alabanza. Hoy, Santo Espíritu, inúndanos con este don y haz correr en nuestro interior ríos de agua viva, ríos de alabanza, para que nuestro Dios, que es Padre, que es Hijo, que es Espíritu Santo, pueda ser adorado, honrado, glorificado y bendito en todas las circunstancias de nuestra vida, sean tristes o alegres. Que nuestro corazón esté unido en la alabanza y la adoración.

Bendito seas, Señor, porque los ángeles y los santos Te alaban sin cesar.

Bendito seas, Señor, porque la Virgen María, Madre de Dios, Te alaba sin cesar.

Bendito seas, Señor, porque tu Iglesia, aquí en la tierra, Te alaba sin cesar.

Bendito seas, Señor, porque hoy nos convocas a formar tu pueblo de alabanza, tu pueblo de adoración. Dimos nuestro *sí* y contamos con tu gracia para que seamos fieles y para que la alabanza crezca dentro de nosotros, no solamente cinco minutos por día, Señor, sino 24 horas diarias, a cada momento, a cada instante. Que, inclusive durmiendo, nuestro corazón esté velando en alabanza y adoración, porque fuimos creados para la celebración de tu gloria.

¡Bendito seas por siempre!

¡Bendito sea tu poder que nos transforma!

Bendita sea la fuerza y el poder de tu Espíritu Santo de alabanza dentro de cada uno de nosotros.

¡Bendito seas, Señor, porque Tú eres digno, Tú eres nuestro Dios y sólo a Ti te ofrecemos nuestra alabanza, nuestra adoración y acción de gracias!

¡Oh, Jesús!, hoy recurrimos a Ti, por la intercesión de María santísima y Te pedimos, por el Corazón Inmaculado de tu Madre, que extiendas tus manos llagadas sobre tu pueblo sufrido. Señor, Te entregamos hoy todos los pueblos y naciones del mundo, los gobernantes, toda la crisis económica que vivimos, todo sufrimiento. Te entregamos tu Iglesia, el Santo Padre, Papa Juan Pablo II, tus sacerdotes, tus ministros, tus pastores, nuestros obispos, todos los llamados, los religiosos, todos los laicos consagrados a Ti y al ministerio de tu Palabra, todos los que Te adoran. Nos entregamos a Ti.

Te alabamos y Te pedimos, Jesús: desata tu cura divina sobre nosotros. Desata tu poder sobre nosotros, ¡oh, Señor!, especialmente sobre los hermanos enfermos que oran con nosotros y que están tan angustiados. Que por el poder de la alabanza sean liberados ahora de toda angustia, de toda tristeza, de toda melancolía y desesperación, de toda nostalgia de los seres queridos que ya murieron, de todo desequilibrio emocional, de la falta de ánimo para vivir y de la depresión. Entregamos estas situaciones y estos sufrimientos a Ti, con gran alabanza y adoración, esperando con toda confianza que de Ti nos venga la cura y la liberación.

En el nombre de Jesús.

Amén y amén.

CÓMO DOMAR TU LENGUA

"En cambio ningún hombre ha podido domar la lengua; es un mal turbulento lleno de veneno mortífero. Con ella bendecimos al Señor y Padre, y con ella maldecimos a los hombres, hechos a imagen de Dios; de una misma boca proceden la bendición y la maldición. Esto, hermanos míos, no debe ser así" (St 3,8-10).

La Palabra de Dios continúa diciéndonos:

"No os hagáis maestros muchos de vosotros, hermanos míos, sabiendo que nosotros tendremos un juicio más severo, pues todos caemos muchas veces. Si alguno no cae hablando, es un hombre perfecto, capaz de poner freno a todo su cuerpo. Si ponemos a los caballos frenos en la boca para que nos obedezcan, dirigimos así todo su cuerpo. Mirad también las naves: aunque sean grandes y vientos impetuosos las empujen, son dirigidas por un pequeño timón adonde la voluntad del piloto quiere. Así también la lengua es un miembro pequeño y puede gloriarse de grandes cosas. Mirad qué pequeño fuego abrasa un bosque tan grande. Y la lengua es fuego, es un mundo de iniquidad; la lengua, que es uno de nuestros miembros, contamina todo el cuerpo y, encendida por la gehena, prende fuego a la rueda de la vida desde sus comienzos" (St 3,1-6).

Yo afirmo: ¡si alguno de nosotros está sin pecado de la lengua, que tire la primera piedra! En verdad, ninguno de nosotros podría tirar la primera piedra. Todos pecamos con la lengua. La Palabra de Dios continúa diciéndonos:

"De lo que rebosa el corazón habla la boca" (Mt 12,34).

Para saber, pues, cómo está nuestro corazón, basta que prestemos atención a nuestra lengua; que nos fijemos en lo que hablamos.

¿Has pensado cómo sería si grabáramos nuestras conversaciones y días después las escucháramos? Con seguridad quedaríamos profundamente sorprendidos.

En el texto de Santiago que acabamos de leer vimos que *"todos caemos muchas veces"* (St 3,2), y que *"ningún hombre ha podido domar la lengua"* (St 3,8).

Pon atención: ningún hombre y ninguna mujer han podido domar su lengua. Nos lo dice la Palabra de Dios.

Entonces podrías preguntarte: "¿Qué debo hacer para dominar mi lengua, a fin de que ella diga solamente palabras buenas, de amor, de perdón... palabras que dignifiquen el nombre de Jesucristo, nuestro Señor?"

Si ningún hombre y ninguna mujer ha podido domar su lengua... Dios lo puede. *"Para Dios todo es posible"* (Mt 19,26).

DE LO QUE REBOSA EL CORAZÓN HABLA LA BOCA.

Si nuestro corazón está lleno de telenovelas, de revistas y películas pornográficas, si nuestro corazón está lleno de carnavales, de chistes obscenos, de malas ideas, de malos pensamientos... **LA BOCA HABLARÁ DE LO QUE REBOSA EL CORAZÓN.**

Entonces lo que hablamos es el retrato de lo que habita en nuestro corazón. ¡Es fácil saber lo que está dentro de nuestro corazón: ¡basta poner atención a lo que decimos y a lo que pensamos!

Ya que al hombre le es imposible dominar su lengua, necesitamos llenar nuestro corazón de la Palabra de Dios. Cuando nuestro corazón esté lleno de la Palabra de Dios a través de la lectura, la meditación y la vivencia de la Biblia, con la fuerza y el poder del Espíritu Santo, nuestra boca hablará de lo que abunda en el corazón. Y con el corazón lleno de la Palabra de Dios, nuestra lengua dirá solamente mensajes de amor, perdón, alegría, paz, mensajes de unidad, de reconciliación... mensajes propios de un hijo amado de Dios Padre. ¿Y no es bello que todo esto solamente pueda realizarse por la Palabra de Dios?

Ahora les propondré un ayuno, un ayuno verdadero que agrada a Dios Padre: el ayuno de la lengua.

Hombres, hagan un ayuno de la lengua. Mujeres, hagan el ayuno de la lengua.

Hace unos días leí que más vale hacer el ayuno de la lengua que pasar cuarenta días sin comer. Es mucho más fácil quedarse cuarenta días sin comer, que domar nuestra lengua. El hombre sólo logrará domarla por el poder del nombre y la Sangre de Jesús, y por el poder de su Palabra.

¿Comencemos ahora el ayuno de la lengua? Mujeres, hombres, hagamos un gran ejército que piense antes de hablar. Busquemos el discernimiento en el Espíritu Santo: si lo que vamos a pensar y a hablar es de Jesús o es del enemigo, porque lo que divide, lo que es contra el amor y la Palabra de Dios, no es de Dios.

De lo que rebosa el corazón habla la boca.

Tengo la seguridad de que a partir de hoy, con nuestro corazón todavía más lleno del poder de la Palabra, del poder del nombre y la Sangre de Jesús, todavía más lleno de la

Eucaristía, de la alabanza, de la adoración y de la oración personal... nuestra lengua sólo hablará de amor, alegría, perdón, paz y unión, para gloria de Jesucristo, nuestro Señor.

¡Aleluya! ¡Gloria y alabanza a Ti, Señor!

¡Mujeres y hombres, jóvenes y niños, cuidado! Nuestra lengua nos hiere y hiere mucho a nuestros hermanos. La Biblia dice:

"¡Pues lo que uno siembre, eso cosechará!" (Ga 6,7).

Si sembramos el mal, cosecharemos el mal; si sembramos el bien, recibiremos el bien. El hombre recogerá aquello que haya sembrado. Y el hombre siembra por medio de la lengua.

¡Por tanto, sembremos la Palabra de Dios! ¿Vamos a sembrar el amor, la paz, la alegría, el perdón, para, en retorno, cosechar todo esto?

En nuestro matrimonio, en nuestra familia, amigos, parientes, vecinos, en nuestro ambiente de trabajo, vamos a sembrar el amor de Dios por medio de nuestra lengua. Demos un testimonio de que, a pesar de vivir en un mundo tan sufrido, podemos tener paz, esperanza, alegría, y vivir el amor y el perdón de Dios.

Para esto hemos sido llamados: para ser testigos de Jesús ¿Y qué testigos seremos si nuestra lengua no está domada por Dios a través de su Palabra?

"Por el contrario, bendecid, pues habéis sido llamados a heredar la bendición" (I P 3,9).

Hombres, mujeres, niños, adolescentes, jóvenes, personas maduras, ancianos, la Palabra de Dios hoy, por amor a nosotros, nos quiere liberar de nosotros mismos, quiere romper las cadenas que nos atan a las palabras inadecuadas de nuestra boca:

DE LO QUE REBOSA EL CORAZÓN HABLA LA BOCA.

No hay posibilidad de que nuestra lengua sea domada sin que nuestro corazón primero se llene de la Palabra y el amor de Dios.

Hemos visto personas cuyo corazón está lleno del amor y la Palabra de Dios. ¡Hay que ver cómo las lenguas de esas personas pronuncian palabras de sabiduría, de alabanza, de amor y de alegría!

Este es el camino de la bendición. ¡La misma boca que bendice, que alaba al Señor, no puede hablar mal, no puede calumniar al hermano!

ORACIÓN

Señor, que el Espíritu Santo revele los pecados de nuestro corazón, nuestra mente y nuestra lengua y que la Sangre de Jesús, en este momento de arrepentimiento, lave todos esos pecados, que ya se vuelven algo pasado en nuestra vida.

Padre, Te pedimos, en nombre de Jesús, que el Espíritu Santo de Dios llene nuestro corazón para que podamos transmitir, por nuestra boca, la experiencia de tu amor, de tu salvación y liberación.

¡Gloria y alabanza a Ti, Jesús!

¡Amén! ¡Aleluya!

Ven, Señor Jesús, ven con tu amor, ven con tu misericordia, ven con tu poder y llena nuestro corazón con tu presencia para que, juntos, podamos adorar a nuestro Dios.

Padre santo, Padre de misericordia, Padre de nuestro Señor Jesucristo, cuán felices somos, Padre, porque tenemos un Padre eterno, un Padre que es

santo, un Padre que es rico en misericordia, un Padre que es creador y todopoderoso.

Nosotros Te amamos, Te bendecimos y Te alabamos, Padre, y queremos agradecerte por todos los momentos en que podemos probar y experimentar tu inmenso amor que inunda nuestra vida. Te agradecemos, Padre, porque en este amor maravilloso, nos concedes la salvación en Jesucristo, porque Jesús es todo tu amor para nosotros. Queremos, en este momento, adorarte y bendecirte: ¡Santo, santo, santo es el Señor! Nuestro corazón se postra delante de Ti, nuestras rodillas se doblan y reconocemos que Tú eres nuestro Señor, el Autor de la vida, que Tú eres la propia vida, el amor mismo.

Te amamos, Jesús, Salvador y Redentor nuestro. Agradecemos tu preciosa Sangre derramada en la cruz por amor a nosotros y para el perdón de nuestros pecados. Tú nos compraste, Señor, con tu Sangre, y Te pertenecemos totalmente a Ti. Por eso Te alabamos y Te adoramos; Tú eres el Señor de nuestra vida y queremos servirte con gran fidelidad.

Señor, nuestra vida depende de Ti. Queremos agradecerte y alabarte porque nos concedes tu Espíritu Santo sin medida, y el Espíritu de Dios testifica dentro de nosotros que Tú estás vivo, Jesús, que Tú eres el mismo hoy, ayer y por siempre, y haces fluir tu poder divino en nuestro corazón, en nuestra mente y nuestro cuerpo.

Te agradecemos, ¡oh, Santísima Trinidad!, porque somos templos tuyos, somos morada tuya, porque estás dentro de nuestro corazón por el bautismo recibido.

¡Oh, Dios eterno!, Dios todopoderoso, extiende tu mano hoy sobre cada uno de nosotros y renueva toda la gracia del bautismo, haz fluir en nosotros todo el poder que recibimos de lo alto el día en que fuimos bautizados.

Padre santo, hoy particularmente, queremos alabarte y bendecirte por la luz que viene a nuestro espíritu a través de tu Palabra.

Estamos en tu presencia como pecadores que somos, y reconocemos todo el mal que hemos causado con nuestra lengua. Pedimos perdón, Señor. Delante de Ti reconocemos que hemos murmurado contra las personas. ¡Ten misericordia de nosotros! Reconocemos el mal uso que hemos hecho del nombre santo de Jesús, todas las blasfemias y maldiciones que han salido de nuestra boca, las palabras de odio, agresión y violencia. ¡Ten misericordia, Señor! Pedimos perdón y reconocemos, por tu Palabra, que muchas veces, por medio de nuestra lengua, hemos sembrado viento y por eso hemos recogido tantas tempestades en nuestra vida. No hemos edificado, construido, ni hemos llevado al bien. Perdón, Señor, perdón.

En tu presencia, Jesús, queremos renunciar totalmente a los pecados que cometimos con nuestra boca. Señor, limpia nuestro corazón, limpia nuestra mente. Lava nuestro corazón con tu Sangre preciosa porque, si la boca habla de la abundancia del corazón, nuestro corazón debe tener mucha amargura, resentimiento y rebeldía. ¡Perdón, perdón, misericordia!

Clamando la fuerza y el poder de tu Espíritu Santo, queremos renunciar ahora a toda palabra mala, a toda palabra vana que nuestra boca haya pronunciado.

Señor, está escrito que *"el que está en Cristo, es una nueva creación"* (II Co 5,17). Llena, pues, nuestro corazón con tu presencia, con tu amor, con tu Palabra. Concédenos, Padre, la mente de Cristo. Haz de cada uno de nosotros una bendición para los hermanos. ¡Oh, Señor!, purifica nuestros labios como purificaste los labios del profeta Isaías. Enséñanos a sembrar el bien, el amor, la alegría, el perdón y la paz.

Danos fuerzas, Señor, para que estemos abiertos a recibir tu Espíritu Santo, y que esté Él en nosotros para consolar a los afligidos, para liberar a los cautivos, para levantar al hermano aniquilado por el dolor y el pecado. Que, por el Espíritu Santo, fluya en nosotros la Palabra de Dios que está viva, que salva, libera y es eficaz.

¡Ven, oh, Espíritu de Dios! Ven y toma posesión de nosotros ahora. Señor, haz de nosotros en este momento, por el poder del nombre de Jesús, un canal tuyo para la cura de nuestros hermanos.

Padre eterno, Padre de misericordia, Tú eres el Dios fiel. ¡Padre, ten compasión de estos hermanos nuestros, mira cuánto sufrimiento, cuánta angustia, cuánto dolor! Padre, ellos quieren vida nueva hoy, ellos quieren acoger tu amor, ellos quieren acoger la salvación en Jesucristo, nuestro Señor; por eso, ven con tu poder, con tu Espíritu Santo, y sana, Señor, a estos hermanos, penetra en sus corazones y arranca de ellos todo pecado, amargura, desequilibrio emocional, depresión, deseo de suicidio. Eso pertenece a la vida vieja, Señor. También arranca todo remordimiento, inquietud, agitación, dispersión mental y agresividad. Ten misericordia de

Este camino te dará sabiduría, te dará la alegría de vivir, belleza, inteligencia, paz; es el único camino que te dará vida y llevará la salvación a ti, a tu matrimonio y a tus hijos.

Hermana mía, busca en primer lugar el reino de Dios y su justicia, y te salvarás; tu matrimonio se salvará, a pesar de las tentaciones violentísimas del mundo de hoy, y tus hijos, por medio de ti, también se salvarán.

"Ten fe en el Señor Jesús y te salvarás tú y tu casa"
(Hch 16,31).

Esta salvación depende de ti. No quieras esconderte, diciendo que el mundo es el culpable, que existen muchas personas culpables. La culpa también es tuya, porque no has buscado un grupo de oración. La culpa también es tuya por no haber participado en la misa y la Eucaristía. Y principalmente, hermana mía, también es culpa tuya – lo digo por amor a ti –, por no haber llenado tu corazón de la sabiduría, la verdad, la luz, la salvación, la alegría, la paz y el amor de Dios... y todo esto viene por el conocimiento de la Palabra de Dios. Jesús es la solución, y esta solución ¡viene por medio de la Palabra!

"Buscar en primer lugar el reino de Dios" significa buscar en primer lugar al Rey de los reyes, al Señor de los señores, que es Jesucristo. Todo rey ejerce su reinado por medio de sus edictos, de sus normas, y Jesús, como Rey, ejerce su reinado sobre nosotros por medio de su Palabra, sus leyes y mandamientos, que deben ser conocidos y obedecidos.

Todavía hay tiempo de salvar a tu familia; corre, no pierdas ni un día más; corre hacia un grupo de oración, ve a misa y participa en la Eucaristía, ora todos los días y clama: **¡Jesús, ten compasión de mí y de mi familia!** Lee y medita la Palabra de Dios.

Y después, hermana mía, no vengas a decir que el mundo es culpable de todo. No olvides ver la verdad; tú también tienes una parte de culpa por todo lo que sucede en tu vida y en tu familia.

ORACIÓN

Señor, que la Palabra de Dios produzca frutos en nuestro corazón y que el Espíritu Santo, en nombre de Jesús, venga sobre nosotros y nos dé sabiduría y discernimiento, para que nuestra vida cambie ahora y lleguemos a dedicar más tiempo a la búsqueda de la salvación para nosotros, para nuestro matrimonio y para nuestros hijos.

Mujer, no te quedes sentida conmigo; si todo esto ha sido dicho, es porque Jesús te ama y nosotros te amamos también. Busca, a partir de hoy, a partir de ahora, y en primer lugar, el reino de Dios. Busca a Jesús, su Palabra y su justicia, y todo lo demás – la belleza, la alegría, la paz, el amor, la vida en plenitud – te será dado a través de la Eucaristía, de un grupo de oración, de la oración personal y la Palabra de Dios.

Pedimos a Dios, en nombre de Jesús, que Él derrame la gracia de la perseverancia en tu corazón. ¡Tú eres muy importante, y ahora eres una nueva criatura! La Biblia dice que la Palabra nunca vuelve a Dios sin producir fruto (ver Is 55,11), y hoy ella ha producido su fruto en mi corazón y en el tuyo.

Jesús me dio y me da y, si Dios quiere, me dará siempre fuerza para vencer todas las tentaciones. Dudo de que, si no tuviera a Jesús en mi corazón, hubiera soportado las tentaciones de la vida. Esto lo digo con sinceridad: sólo Jesús y sólo Él, a través de su Palabra, sólo Jesús a través de la Eucaristía, sólo Jesús a través de un grupo de oración y de la oración personal, sólo Él toma la mano de la mujer y del hombre y dice: *"No, por ahí no, por ahí es la muerte, el sufrimiento, la destrucción. Ven hacia acá, donde está la vida, donde está la alegría, donde está la salvación."*

Que Dios, a través de su Espíritu, nos dé fuerza para que la Palabra hoy proclamada se mantenga por siempre en nuestro corazón. Tengo la seguridad de que esta Palabra ha cambiado nuestra vida, ahora y por siempre. ¡Aleluya!

Queremos agradecerte, Jesús, alabarte y bendecirte por todo lo que has realizado en nuestra vida, por el poder de tu Palabra, que nos sustenta, da fuerza y sabiduría para conocer y vivir el camino que debemos seguir.

Gracias también a nuestra Señora por las intercesiones que ha realizado por nuestra vida y familia.

¡Vale la pena! ¡Vale la pena renunciar a las futilidades para vivir la vida de hijos de Dios Padre!

¡Gloria al Padre, gloria al Hijo, gloria al Espíritu Santo de Dios!

¡Ven, Señor Jesús! Ven, Señor. Ven con tu amor, ven con tu Espíritu Santo e inúndanos con tu gracia.

Padre eterno, Padre de nuestro Señor Jesucristo, a Ti, ¡oh, Padre!, todo honor, toda alabanza y toda gloria; Te amamos, Padre, Te exaltamos, Te glorificamos. Tú eres nuestro Dios, Tú eres soberano, Tú eres altísimo. Nosotros pertenecemos a Ti, Padre, por la Sangre de Jesús y, en tu presencia, imploramos tu misericordia sobre nosotros. Pedimos la gracia de ser perdonados en la Sangre de Jesucristo. Que esta Sangre preciosa venga sobre nosotros ahora, con gran poder, y purifique

nuestra vida de toda obra muerta de la carne, de todo pecado, de toda flaqueza, de toda caída en tentación. Ten compasión de nosotros, ten misericordia de nosotros, ¡oh, Padre!, porque somos tus hijos, pero... muchas veces pecadores. Reconocemos nuestros pecados, reconocemos nuestra condición de pecadores y sabemos, Padre, que sólo Tú tienes el poder para perdonarnos y darnos la salvación.

Jesús, Te alabamos por todo aquello que estás realizando en nosotros ahora a través de tu Espíritu Santo y nos abrimos totalmente a tu poder.

¡Oh, Padre!, Te agradecemos porque el poder de Dios fluye constantemente en nosotros, y es más que suficiente para suplir todas nuestras necesidades. Te agradecemos, Te bendecimos, Te alabamos por tu Palabra. Colocamos en tu presencia a todas las mujeres, familias, hogares, y Te pedimos: vuelve sobre nosotros tus ojos misericordiosos. Señor, enséñanos a buscar en primer lugar tu reino y tu justicia. Enséñanos, mediante la acción de tu Espíritu, que el reino de Dios es una Persona, es Jesucristo. Enséñanos, Señor, a acoger tu Palabra en lo más profundo de nuestro corazón. Envía sobre nosotros el poder y la fuerza del Espíritu Santo, para que esta Palabra sea fecunda en nosotros y transforme y restaure nuestra mente.

¡Oh, Señor!, danos la sabiduría de lo alto para que podamos conducir nuestra familia mediante tu Palabra, danos la fuerza divina para desvincularnos de todo aquello que es vacío, mundano, estéril en nuestra vida, para buscar el reino de Dios, para buscar a Jesucristo en primer lugar. Enséñanos a construir nuestra casa, nuestro hogar, en la roca viva que es Jesucristo.

¡Oh, Espíritu Santo de Dios!, ven sobre nosotros y haz que el reino de Dios crezca en nuestro corazón y, desbordándose de nosotros, llegue a nuestro hogar, a nuestra casa y a nuestra familia.

¡Oh, Espíritu Santo de Dios!, ven y toca el corazón y la mente de cada mujer, de cada esposa y madre, y haz penetrar en ella la santa Palabra de Dios.

¡Oh, Espíritu Santo de Dios!, ven y quema en nuestra mente toda impureza y futilidad. Ven, Espíritu Santo de Dios, y realiza en nosotros tu gracia. Haz que seamos transformados, día tras día, para que seamos siervos del Señor, siervos del Altísimo, y para que podamos dar a nuestros hijos la Palabra de Dios, que infunda el temor de Él en su corazón. Ven, Espíritu Santo, para que el amor de Dios fluya a través de nosotros y envuelva a nuestro cónyuge, envuelva a cada hijo y a cada familia. Ven, Espíritu Santo de Dios, para que la luz de Cristo brille en nuestra vida. Ven, Espíritu Santo de Dios, y concédenos el don de la fortaleza, del discernimiento, de la ciencia y del conocimiento de la voluntad de Dios. Ven, Espíritu Santo de Dios, y concédenos la obediencia a la Palabra y un corazón manso, humilde, generoso, abierto a las mociones interiores de tu gracia. Ven, Espíritu Santo de Dios, y sana nuestro corazón, en el nombre de Jesús.

Queremos ser personas liberadas, libres; por eso, Señor Jesús, Te entregamos todas las amarguras, odios, rencores antiguos, instalados en nuestro corazón y que hasta hoy nos perturban. Te entregamos también todo aquello que nos ha herido profundamente: las infidelidades que sufrimos, las humillaciones, los rechazos, agresiones, enfermedades, la falta de amor, de comprensión y de cariño. Señor, colocamos todo esto en tu corazón herido y en el corazón de María santísima. Te pedimos que tu Sangre lave estos dolores y sufrimientos, y que el poder del Espíritu Santo venga sobre nosotros y nos haga criaturas nuevas.

Te alabamos, Señor, porque creemos firmemente que estás librándonos de toda dificultad para perdonar y de toda decepción con el matrimonio y que estás librándonos también de todo desgaste en las relaciones conyugales. Te alabamos porque tu Palabra renueva todas las cosas. Te alabamos porque estás librándonos de toda infidelidad y haces de nosotros personas fuertes en Ti, fuertes en la Palabra de Dios. Te alabamos y Te bendecimos porque estás actuando sobre los corazones llenos de remordimiento y desatando la cura divina en nosotros. Te alabamos y Te bendecimos por la cura de la impaciencia, falta de tolerancia, venganza, celos, resentimientos y pérdida del sentido del matrimonio. Te alabamos por esta gran cura que estás realizando en nosotros y porque estamos asumiendo tu palabra: *"Ten fe en el Señor Jesús y te salvarás tú y tu casa"* (Hch 16,31).

Te alabamos, Espíritu Santo de Dios, por este aumento de fe que estás derramando en nuestro corazón y por la esperanza que está fluyendo en nosotros. Te alabamos y Te bendecimos porque ya podemos actuar como nuevas criaturas en Jesucristo. Te alabamos porque vamos a construir nuestra vida en la roca viva de la Palabra de Dios y te bendecimos porque todo es posible para aquél que cree.

Padre santo, en el poderoso nombre de Jesús queremos reivindicar, por la Palabra de Dios, la armonía en nuestro hogar, la paz en nuestra familia, el amor entre marido y mujer, entre padres e hijos, el perdón que fluye continuamente y la fuerza de lo alto para reconstruir, con el poder de Dios, aquello que está desmoronándose.

¡Alabado y bendito seas, Señor, que actúas en nuestro corazón!

Madre santísima, a ti nos consagramos y también nuestros seres queridos, nuestro hogar, familia y trabajo.

Ruega por nosotros, santa Madre de Dios, ahora y en la hora de nuestra muerte.

Amén y amén.

14 ABRAZANDO A JESÚS

El objetivo principal de este mensaje es llevarte a vivir una fuerte experiencia de oración contemplativa como la que tuvimos hace algunos días. Queremos compartir contigo, por la gracia de Dios, toda la riqueza de la vivencia del amor y de la presencia de Jesús que experimentamos. Escoge, entonces, un momento tranquilo y ponte en la presencia del Señor para leer este mensaje; esto va a ayudarte a tener una experiencia de contemplación del Señor Jesús.

Pido al Espíritu Santo que unja tu corazón y que te revele a Jesús vivo y resucitado.

"Jesús le dice: 'María.' Ella le reconoce y le dice en hebreo: 'Rabbuní' – *que quiere decir: 'Maestro'* –. *Dícele Jesús: 'Déjame'"* (Jn 20,16-17).

En este texto: – *"Jesús le dice: 'María!'"* (Jn 20,16) –, Jesús llama a María Magdalena... y te llama a ti: Pedro, Pablo, María, Rosa, Marta, Valdivia y tantos otros hermanos. Jesús está llamándote, ahora. Volvámonos entonces hacia Jesús, como dice el versículo 16.

"Ella le reconoce y le dice en hebreo: '¡Rabbuní!'"

María Magdalena gritaba: "Maestro, *¡Rabbuní!"*

Jesús en este momento, por medio de su Palabra, está llamándonos a ti y a mí a una nueva conversión, a un cambio de vida. Jesús pide que dejemos la vida pasada, de sufrimiento, enfermedad, amargura, maledicencia, odio,

138

rencor, en fin, la vida de pecado, de ver películas y leer revistas pornográficas, de decir malas palabras y tener en nuestra mente pensamientos que no son del Señor.

"¡Maestro!, ¡*Rabbuní!*" – respondió María Magdalena; y todos nosotros queremos exclamar junto con ella, en este día que nos es dado: "¡*Rabbuní!* ¡Maestro! ¡Jesús!"

"¡*Déjame!*" Si Jesús dice a María Magdalena que no lo retenga, significa que además de haber gritado: "*Rabbuní*", ella lo retuvo y se abrazó a Él. En el Evangelio de san Mateo leemos que ella se lanzó a los pies de Jesús, **para abrazarlo**.

María Magdalena, pues, nos indica lo que debemos hacer, no sólo hoy sino todos los días de nuestra vida: **abrazar a Jesús**, retenerlo junto a nosotros, junto a nuestro corazón, junto a nuestro pecho. Abrazarlo con todas nuestras fuerzas; no un abrazo cualquiera, porque ella no le dio un abrazo débil: lo retuvo, agarró fuertemente a Jesús junto a sí.

Recurramos ahora a nuestra Señora:

¡Ave María, Madre de la Iglesia!

¡Santa María, que la luz yo vea!

¡Abre mis ojos, quiero ver a tu Hijo,

poder abrazarlo y decirle que lo amo!

Como nos dice la letra de la canción, vamos a pedir también a la Madre de Jesús que ella abra nuestros ojos de la fe y del corazón, para que podamos ver a Jesús; a Jesús resucitado, con sus vestiduras blancas, el rostro semejante al sol cuando brilla con toda su fuerza. Y **abracemos a Jesús...**

Hagamos como aquel niño que corre, que corre al encuentro del padre que espera agachado, con los brazos abiertos, para recibirlo y abrazarlo junto a su pecho.

Imaginémonos a Jesús con vestiduras blancas, con el rostro brillante, con su cuerpo resucitado, glorioso, irradiando paz, luz divina, con sus pies descalzos sobre las piedras y corramos al encuentro de sus brazos. Jesús nos espera, Jesús resucitado, Jesús que es vida, Jesús salvación, Jesús liberación, Jesús amor de Dios. ¡Vamos!, ¡Suelta todo lo que te detiene!, ¡Suelta aquello que es un peso en tu vida! ¡Arrójalo todo, échalo fuera, por el poder del nombre y de la Sangre de Jesús! Echa fuera el pecado que te impide llegar cerca de Jesús.

Dejemos esta vida de pecado, este peso que nos amarra al suelo, y comencemos a correr hacia los brazos de Jesús... Aumentemos, aceleremos todavía más nuestros pasos, corramos. Jesús nos espera, y nos llama: *"¡Ven! ¡Ven a mí!"* Jesús nos llama: *"¡Ven!"* Vamos, hermano mío, vamos al encuentro de los brazos de Jesús. Corramos todavía más rápidamente. Corramos más y más... Y, finalmente... lancémonos a los brazos de Jesús.

Ahora, en este momento, arrojémonos a los brazos de Jesús. Apretemos a Jesús, retengamos a Jesús fuertemente con nuestros brazos en sus espaldas, ¡y no digamos nada! **Vamos solamente a abrazar a Jesús... abrazar a Jesús... abrazar a Jesús...** Recibamos el amor de Jesús, la salvación, la cura, la liberación. ¡Recibamos la vida de Jesús! ¡Recibamos a Jesús dentro de nosotros de modo que envuelva todo nuestro ser! Recostemos nuestro rostro en el pecho de Jesús y no lo soltemos más, nunca más, porque la vida fuera del abrazo de Jesús no tiene sentido, porque la vida fuera del abrazo de Jesús es difícil, dolorosa y triste.

¡Alegrémonos! Sí, alegrémonos, hermano mío, porque estamos abrazados a la vida, a la salvación, a aquél que tiene el poder de salvarnos y de sanarnos. Estamos abrazados a aquél que tiene poder para expulsar todo el mal que pueda haber en nuestro corazón, a aquél que tiene el poder de no permitir que ningún mal llegue hasta nosotros, a aquél que tiene el poder para extender la mano y mantener lejos de nosotros todo aquello que representa el mal, que representa una obra de satanás.

Retengamos a Jesús, como lo hizo María Magdalena. ¡Retengamos a Jesús junto a nosotros y no lo soltemos más, nunca más!

Y ahora, con esta visión de estar aferrados a Jesús, reteniéndolo en nuestros brazos, con nuestra cabeza apoyada en su pecho, junto a su corazón, seamos conscientes de que, cuando pecamos, estamos dejando los brazos de Jesús para aferrarnos a otros brazos... brazos que representan la muerte espiritual, el sufrimiento, la tristeza y la amargura... Nunca más vamos a querer pecar, ¿verdad?

No vale la pena dejar los brazos de Jesús para irnos a otros que nos atormentan, hieren y hacen sufrir tanto. Vamos a aferrarnos solamente a Jesús, la vida, la alegría, el amor de Dios, y vamos a pedir una vez más que nuestra Señora nos enseñe siempre lo que necesitamos hacer:

¡Ave María, Madre de la Iglesia!
¡Santa María, que la luz yo vea!

¡Abre mis ojos, quiero ver a tu Hijo,
poder abrazarlo y decirle que lo amo!

Abre tus ojos espirituales y mira la luz de Jesús.

María, quiero ver a tu Hijo... quiero abrazarlo y decirle que lo amo...

¡Di ahora, di que amas a Jesús! Di cuánto amas a Jesús... Él está a tu lado...

¡Jesús, yo Te amo!

Dilo en voz alta:

Jesús, yo Te amo, yo Te adoro y Te alabo.

¡Di cuánto amas a Jesús!

Jesús, queremos siempre verte, abrazarte y nunca más dejarte; ¡Jesús, nosotros Te amamos, Te bendecimos y Te glorificamos, Señor!

¡Siente a Jesús! ¡Siente a Jesús! ¿Hay algo mejor que esto en tu vida? ¡Jesús es la vida; Él es el sentido de nuestra vida! No hay nada mejor que esto. ¡Nada, nada, nada! ¡Es Jesús, es sólo Jesús! Nada más nos da alegría, vida y paz. Sólo en Jesús reposa nuestra alma... ¡Vamos a dejar que nuestra alma descanse en Jesús, hoy, mañana y por siempre!

Ahora quiero pedirte que adores a Jesús. ¡Ahora te pido que te pongas de rodillas y adores al Señor Jesús!

¡Ven, Espíritu Santo! Pedimos a Dios Padre, en nombre de Jesús, para que podamos adorar a Jesús en espíritu y en verdad.

Y todos juntos, unidos a millares y millares de personas que leen este mensaje, hagamos un instante de silencio para adorar al Señor de los señores, al Rey de los reyes, a Jesús, nuestro Dios y Salvador.

ORACIÓN

¡Yo Te adoro, Jesús! ¡Yo Te amo, yo Te amo, Jesús! ¡Yo no quiero nunca más dejarte! (Repite conmigo): ¡Yo no quiero nunca más dejarte, Jesús! Por el amor de Dios, nunca más me dejes abandonar tus brazos. ¡Agárrame fuertemente cuando yo intente pecar, Jesús! Que tus brazos me retengan junto a Ti, para que yo no caiga en el pecado y pueda estar únicamente junto a Ti. Sí, Jesús, dame la fuerza de tu Nombre y de tu San-

gre para vencer toda tentación. ¡Gloria y alabanza a Ti, Señor!

Gracias, mi Dios, mi Rey y mi Salvador.

Y gracias, María, Madre de Jesús, por indicarnos el camino que debemos seguir. ¡Correr hacia Jesús cada día, cada hora, abrazarlo fuertemente y nunca más, nunca más, y por nada de este mundo dejar los brazos de Jesús! ¡Amén!

¡Ven, Señor Jesús! ¡Ven, Señor, con tu poder y tu amor! Inunda nuestro corazón, inunda nuestra alma con tu presencia.

Padre eterno, Padre de nuestro Señor Jesucristo, Te adoramos, y hoy nuestro corazón se llena de gozo y alegría por la victoria de Jesús sobre la muerte.

¡Jesús resucitó por tu poder, oh, Padre! ¡Gloria y alabanza a Ti! ¡Bendito seas, Señor! ¡Está abierto el camino para nosotros! ¡En la Sangre de Jesucristo, oh, Dios, fuimos reconciliados Contigo!

Pasando por la cruz de nuestro Señor Jesucristo, siendo lavados y purificados en la Sangre de Cristo, nacemos de nuevo, por la gracia, a una vida nueva, a la vida de hijos de Dios. Somos herederos con Cristo, y la garantía de nuestra herencia, infundida en nuestro corazón, es el Espíritu Santo de Dios, que fue derramado abundantemente en nuestra vida y que atestigua dentro de nosotros que, en Jesús, también nosotros somos vencedores ¡Vencemos al pecado, vencemos a la muerte espiritual, vencemos al maligno por el poder del nombre de Jesucristo! ¡Te agradecemos, oh, Padre!

¡Señor Jesús, cuán preciosa es para nosotros tu muerte en la cruz! ¡Cuánto necesitamos tu Sangre derramada sobre la faz de la tierra, que redime a la humanidad, reconciliándonos con Dios!

¡Oh, Jesús!, en este momento pedimos nuestra parte en la aspersión de tu Sangre y, para que podamos vivir la victoria de la resurrección, queremos clavar en tu cruz nuestra vieja naturaleza, nuestro hombre viejo, que insiste en vivir dentro de nosotros y en dominarnos.

Sí, Señor, renunciamos al pecado, renunciamos al pecado que nos separa de los hermanos y en tu cruz clavamos nuestras infidelidades y todo el odio que pueda haber en nosotros, todo miedo, toda angustia y opresión.

Jesús, imploramos el poder de tu Sangre sobre nosotros. En tu cruz queremos clavar también todo aquello que divide y que separa: los matrimonios en crisis, la ira, la amargura y el resentimiento en las familias, la desesperación de las personas que están desempleadas. En tu cruz clavamos nuestras enfermedades del cuerpo y del alma, porque por tus llagas ya hemos sido sanados, y por la fe queremos apropiarnos del poder redentor de tus llagas, cura para nuestra alma y nuestro cuerpo.

Señor, en tu cruz colocamos ahora todos nuestros pecados y clamamos: ¡misericordia, Señor, misericordia, Jesús! Y, una vez lavados en tu Sangre redentora, en esta Sangre que es vida, en esta Sangre que es la prueba más grande de tu amor por nosotros ¡revivimos Contigo y obtenemos la victoria sobre todo mal!

Creemos, Jesús, en tu resurrección. Creemos que fuiste exaltado por el Padre, que estás sentado a la derecha de Dios, con poder y gloria. Creemos que derramaste el Espíritu Santo, y queremos abrir nuestro corazón y acoger a este Espíritu divino.

¡Ven, Espíritu Santo, ven! ¡Ven en nombre de Jesús, ven con tu poder, con tu fuerza, con tu gracia! ¡Tú que eres vida, Tú que resucitaste a Jesús de entre los muertos, vivifica ahora nuestro cuerpo mortal, vivifica nuestra alma, danos vida nueva, danos vida de hijos de Dios, enséñanos a vivir como hijos de Dios!

Y ahora, Jesús, inundados por tu Espíritu, queremos también, como María Magdalena y como Santo Tomás, postrarnos a tus pies y contemplar, con los ojos de nuestro espíritu, tu victoria sobre la muerte, sobre el pecado y sobre el mal. Con el corazón ardiendo de alegría, por el poder de tu resurrección, queremos adorarte y glorificarte: ¡Santo, santo, santo! ¡Bendito seas Tú, Cordero de Dios inmolado, bendito sea tu Nombre, bendita sea tu Sangre!

¡Tú eres el vencedor! ¡A Ti, Señor, el honor, el poder, la gloria, porque venciste la muerte, obtuviste la victoria sobre el pecado y el demonio! ¡Resucitaste! ¡Estás vivo para nunca más morir!

Nosotros nos postramos a tus pies, Te adoramos. ¡Eres nuestro Dios y Señor! Imitando a María Magdalena, queremos abrazarte, retenerte junto a nosotros y pedirte: ¡no nos dejes, Señor! ¡Quédate con nosotros! ¡Camina con nosotros en nuestra vida, como caminaste con los discípulos de Emaús, y no permitas que nos apartemos de Ti! ¡Recuerda que somos tuyos, Te pertenecemos, nos compraste a precio de tu Sangre redentora! ¡Somos tus siervos, tus hermanos! ¡Jesús, condúcenos al Padre!

¡Oh!, María, Madre de la Iglesia, Madre de Jesús, abre nuestros ojos para que veamos la luz, para que veamos a Jesús. Déjanos abrazar a Jesús y decirle que lo amamos con todo nuestro corazón. Y ruega por nosotros, ¡oh, Madre!, para que seamos siempre y cada vez más fieles a tu Jesús.

Amén y amén.

¿CUÁL ES EL CAMINO QUE DEBO SEGUIR EN MI VIDA?

"Voy a instruirte, a mostrarte el camino a seguir; fijos en ti los ojos, seré tu consejero" (Sal 31,8).

L eo todas las cartas que vienen a nuestra comunidad, y también converso con personas que trabajan en el SOS Oração Jesus te Ama. El noventa por ciento de las peticiones que nos llegan son de esposas y madres profundamente preocupadas por sus matrimonios y por la educación de sus hijos. También hay cartas de jóvenes preocupados por sus vidas afectivas y, prácticamente, todas ellas tienen una única petición: "Muéstrame cuál es el camino que debo seguir en mi vida. ¿Debo dejar a mi novio (mi madre lo quiere mucho) y entablar noviazgo con el muchacho que me gusta y que conocí en un grupo de oración?"

Una esposa desesperada escribe para hablarme de su matrimonio; el marido, enviciado en la bebida, la maltrata bastante. "¿Debo continuar con él o debo abandonarlo?"

Un joven, con problemas de orden familiar, pide que se le apunte una solución. Otro, con problemas de drogas y de convivencia, clama por ayuda.

Una señora desesperada, acababa de descubrir que su marido la traicionaba y esto estaba atormentando su hogar, su vida y también al hogar de la otra mujer.

Casi todas las cartas que llegan, piden y preguntan: "¿Qué camino debo seguir?"

Yo pregunto ahora: "¿Ya sabes cuál es el camino que has de seguir en tu vida?"

"Voy [...] a mostrarte el camino a seguir; fijos en ti los ojos"
(Sal 31,8).

Quien nos va a enseñar, quien nos mostrará el camino que debemos seguir no es una persona cualquiera: es Jesús, el Verbo; es Jesús, la Palabra; es Jesús, el Amor de Dios. ¿Y de qué manera nos enseñará Jesús? ¿Y de qué manera nos mostrará Jesús el Camino que debemos seguir?

"Voy a instruirte, [...] fijos en ti los ojos" (Sal 31,8).

Imaginémonos, según la Palabra de Dios, la mirada de bondad de Jesús cuando mira a los niños y dice:

"Dejad a los niños y no les impidáis que vengan a mí"
(Mt 19,14).

Imaginémonos la mirada de alegría de Jesús cuando recibe a los 72 discípulos, que regresan de la evangelización realizada, y se regocija en Dios Padre:

"Yo te bendigo, Padre, Señor del cielo y de la tierra, porque has ocultado estas cosas a sabios y prudentes, y se las has revelado a pequeños" (Lc 10,21).

Imaginémonos la mirada de autoridad de Jesús cuando toma el azote y arroja a los vendedores del templo. Imaginémonos la mirada de perdón de Jesús cuando, al morir en la cruz, lleno de dolores, de llagas y derramando su Sangre redentora para salvarnos, mira hacia aquellos que lo estaban crucificando y dice:

"Padre, perdónales, porque no saben lo que hacen"
(Lc 23,34).

Imaginémonos la mirada de poder de Jesús cuando dice al espíritu inmundo que se había apoderado de aquel niño:

"Espíritu sordo y mudo, yo te lo mando, sal de él y no entres más en él" (Mc 9,25).

Imaginémonos la mirada de sentimiento de Jesús cuando, junto a Marta y a María, se dirige a la tumba de Lázaro y llora. Sí, Jesús llora; vienen las lágrimas a los ojos de Jesús:

"Jesús se echó a llorar" (Jn 11,35).

Imaginémonos la mirada de amor de Jesús cuando dice:

"[Amaos] los unos a los otros, como yo os he amado"
(Jn 15,12).

Imaginémonos la mirada de angustia de Jesús cuando en el Huerto de los Olivos dice:

"Padre mío, si es posible, que pase de mí este cáliz"
(Mt 26,39).

Imaginémonos la mirada de compasión de Jesús cuando dice:

"Quiero, queda limpio" (Mt 8,3).

Imaginémonos la mirada de poder cuando, mirando hacia la tumba de Lázaro, dice Jesús:

"Lázaro, sal fuera" (Jn 11,43).

Imaginémonos la mirada de victoria de Jesús cuando dice:

"En el mundo tendréis tribulación. Pero, ¡ánimo!: yo he vencido al mundo" (Jn 16,33).

Imaginemos la mirada de gran ternura que tuvo Jesús para con María Magdalena después que Él resucitó:

"Mujer, ¿por qué lloras?" (Jn 20,15).

Finalmente, imaginemos la mirada de Jesús lleno de amor por ti, por mí, por todos nosotros, cuando dice:

"Venid a mí todos los que estáis fatigados y agobiados, y yo os aliviaré" (Mt 11,28).

Jesús ahora está mirando hacia ti. ¡Imagina a Jesús mirándote! Mirada de amor, de compasión, de autoridad, de poder y mirada de sentimiento y de afecto. La mirada de Jesús es en extremo fascinante. ¿Vamos a dejarnos amar por Jesús?

"Voy a instruirte, [...] fijos en ti los ojos" (Sal 31,8).

Podemos contemplar con los ojos de la fe el rostro de Jesús. Sí, por el don de Dios y a través de nuestra imaginación, podemos ahora contemplar la mirada mansa y suave, la mirada de salvación, de amor y de perdón de Jesús. Pero pon atención – y mi corazón casi estalla de alegría¡ esto es bello! –, tú ahora, concretamente, puedes tener los ojos de Jesús puestos en ti. Sí, en ti. "¿Qué debo hacer para ver a Jesús?" – podrías preguntar.

Te pido que tomes tu Biblia, abras en el Nuevo Testamento y veas la Palabra de Dios delante de ti. Jesús es el Verbo, ¡aleluya! ¡Jesús es la Palabra! Y al mirar la Palabra, el Verbo de Dios, estaremos mirando hacia Jesús.

Ahora Jesús va a mostrarnos el camino que debemos seguir:

"Voy a instruirte, a mostrarte el camino a seguir; fijos en ti los ojos, seré tu consejero" (Sal 31,8).

Sí, Jesús fija en nosotros sus ojos a través de la Palabra de Dios. Sí, leyendo, meditando y viviendo la Palabra, con el poder y la fuerza del Espíritu Santo, seremos enseñados e instruidos por Jesús.

Es Por la Palabra de Dios que Jesús nos muestra a cada uno de nosotros el camino que debemos seguir.

Dios nos instruye a través de la lectura, meditación y vivencia de la Palabra; por ella es que Jesús fija en nosotros sus ojos.

Leyendo la Palabra, estaremos mirando hacia Jesús, y viviendo la Palabra, la Biblia misma nos dice, seremos amados por Jesús:

"En esto consiste el amor: en que vivamos conforme a sus mandamientos" (II Jn 6).

La Palabra de Dios tiene la respuesta para todos nuestros problemas.

Por tanto, tú que nos escribes, pides oraciones y lees este mensaje ahora, si quieres saber cuál es el camino que has de seguir en tu vida... encontrarás en la Palabra de Dios, en la oración personal, en la Eucaristía y en un grupo de oración, la respuesta para todo aquello que necesitas.

La Palabra de Dios es la luz que ilumina nuestros pasos. La Palabra de Dios es la realización del amor de Dios para todos nosotros... sólo ella nos indica el camino que debemos seguir.

"Yo soy el Camino, la Verdad y la Vida" (Jn 14,6), nos dice Jesús.

Jesús es camino a través de su Palabra, porque Jesús es la Palabra misma, el Verbo de Dios. **¡Gloria y alabanza a Ti, Señor!**

"Para mis pies antorcha es tu palabra, luz para mi sendero"
(Sal 118,105).

151

La Palabra de Dios es luz que ilumina nuestros pasos. Sin la Palabra no hay luz, y nosotros, caminando en las tinieblas, caeremos en los huecos de la vida. Pero, con la Palabra iluminando nuestros pasos, podemos de alguna manera oírla: "Aquí hay un hueco." Señala el hueco y dice: "¡Aquí no, desvíate, desvíate! ¡Allí hay otro hueco, cuidado, desvíate!... Ahora sí, sigue adelante que es seguro."

La Palabra de Dios es sabiduría y discernimiento; es luz y alegría; es vida, vida de Dios en nosotros; es el amor de Dios:

"En esto consiste el amor: en que vivamos conforme a sus mandamientos" (II Jn 6).

¿Quieres conocer el camino y saber la decisión que debes tomar en tu vida? Entonces lee la Biblia, principalmente el Nuevo Testamento.

Tú que tienes problemas de orden familiar, financiero, matrimonial y también de empleo, acércate a la Palabra de Dios. Jesús quiere fijar en ti sus ojos a través de la Palabra, para que puedas conocer su voluntad y recibir los dones de sabiduría y discernimiento para tu vida.

Lee principalmente el Nuevo Testamento; allí Jesús hablará contigo. *"¡Hazlo! ¡No hagas aquello! ¡Toma esta actitud!"*

EN LA BIBLIA ESTÁN LAS RESPUESTAS PARA TODOS NUESTROS PROBLEMAS.

Entonces, por la Palabra es como Jesús fija sus ojos en nosotros y nos muestra el camino que debemos seguir en cada situación de nuestra vida.

¡Me parece maravilloso todo esto! Porque todos somos testigos de que la Palabra de Dios nos ha indicado el camino y las decisiones que debemos tomar en todos los momentos de nuestra vida.

LA BIBLIA TIENE LAS RESPUESTAS PARA TODOS NUESTROS PROBLEMAS.

Jesús quiere amarte y te ama a través del cumplimiento de la Palabra de Dios en tu vida.

"Si alguno me ama, guardará mi palabra, y mi Padre le amará, y vendremos a él, y haremos morada en él"

(Jn 14,23).

Jesús quiere sanarte ahora, y quiere sanarte a través de la Palabra, porque la Biblia dice que somos sanados a través de la Palabra misma.

Jesús quiere liberarte, y Él te libera por la Palabra.

"Ni les curó hierba ni emplasto alguno, sino tu palabra, Señor, que todo lo sana" (Sb 16,12).

Jesús quiere iluminar tus pasos en el camino de la vida y Dios escogió que esto se hiciera a través de su Palabra.

Jesús quiere salvarte y te salva por la Palabra.

Jesús quiere liberarte y te libera por la Palabra.

"Si os mantenéis fieles a mi Palabra, seréis verdaderamente mis discípulos, y conoceréis la verdad y la verdad os hará libres" (Jn 8,31-32).

Acércate a la Palabra. Lee la Biblia, ponla en práctica y conocerás lo que es la vida, la vida en plenitud, y lo que es vivir como hijo amado de Dios Padre.

"Enseñabas a tus hijos queridos, Señor, que no son las diversas especies de frutos los que alimentan al hombre, sino que es tu palabra la que mantiene a los que creen en ti" (Sb 16,26).

Nosotros Te alabamos, Dios. Te agradecemos, Te bendecimos y adoramos porque nos diste la Biblia, por amor a nosotros, para que podamos conocer tu voluntad y el camino que debemos seguir.

Y ahora, Dios Padre, en cumplimiento de la Palabra que es espíritu y vida, Te pedimos en nombre de Jesús: danos el poder, la fuerza y los dones de tu Espíritu Santo, que nos enseña todas las cosas, para conocer, meditar y vivir tu Palabra.

Gracias, Dios Padre, gracias, Jesús, y gracias, Espíritu Santo, que nos das fuerza y poder para conocer y vivir la Biblia.

"Voy a instruirte, a mostrarte el camino a seguir; fijos en ti los ojos" (Sal 31,8).

"Venid a mí todos los que estáis fatigados y agobiados, y yo os aliviaré" (Mt 11,28).

¡Jesús quiere amarnos, ahora!

Tú que crees en Jesús y estás arrepentido de tus pecados, mira hacia Él, y di en tu corazón: **¡Jesús, ten compasión de mí!** Dilo con tu boca y en voz alta: **¡Jesús, ten compasión de mí!** Di, mi hermano, di una vez más: **¡Jesús, ten compasión de mí!**

Pon la mano en el corazón, siente el amor de Jesús por ti y di otra vez con el corazón dispuesto, tú que necesitas tanto de amor, de redención, de misericordia, de alegría, de paz y de vida, pide y recibe todo lo que quieres y necesitas: **¡Jesús, ten compasión de mí! ¡Jesús, ten compasión de mí!**

Repite en voz alta, ahora: **¡Jesús, ten compasión de mí!**

¡Jesús quiere derramar su compasión y su misericordia en nuestro corazón, murió para eso! Pero al mismo tiempo respeta nuestra voluntad. Te exhorto una vez más, a ti que estás indeciso: mira hacia Jesús y aprovecha este momento de la gracia de Dios. Ahora, con el corazón abierto y voz fuerte, di: **¡Jesús, ten compasión de mí! ¡Jesús, ten compasión** de mí! ¡Jesús, ten compasión de mí! ¡Jesús, ten compasión de mí!

¡Aleluya! ¡Gracias, Jesús, por tanto amor! !Gracias, María!

"A vosotros gracia y paz abundantes" (I P 1,2).

ORACIÓN

¡Ven, Señor Jesús! Ven, Señor, e infunde en nosotros tu presencia, infunde en nosotros tu Espíritu Santo e inunda nuestro corazón con una fe ardiente, un amor de gran entrega a Ti, pues Tú eres el Señor!

Hermano mío, éste es un momento de oración, para estar con Jesús, y con Jesús, en Jesús, por Jesús, adorar al Padre. Por eso, sé generoso y dale estos pocos minutos únicamente al Señor. Este tiempo con Jesús es bendición sobre bendición para cada uno de nosotros y para nuestra familia.

Padre eterno, Padre de misericordia, Padre salvador, Padre de amor, Tú eres nuestro Dios, Tú eres nuestro Señor y nosotros Te adoramos con todo nuestro corazón.

¡Oh, Padre!, nos acercamos ahora con toda confianza a tu trono de gloria. Reconocemos nuestra situación de pecado, Padre, pero traemos con nosotros la Sangre de nuestro Señor Jesucristo, que nos purifica de todo mal.

Te agradecemos, Padre, por este amor infinito que nos das en tu Hijo Jesús. Te agradecemos, Padre, porque en la cruz de Jesucristo hemos encontrado provisión de salvación, cura, liberación y apoyo para nuestra vida.

Queremos alabarte, Padre, porque todas tus promesas son *sí* y *amén* en Jesucristo, nuestro Señor. Queremos alabarte, Padre, porque Tú eres tan bueno que nos das tu Espíritu Santo, y este mismo Espíritu trabaja poderosamente dentro de nosotros, haciendo viva y eficaz tu Palabra.

¡Oh, Padre!, nosotros Te agradecemos por la obra de salvación que continuamente estás realizando en favor de la humanidad.

Y ahora, Padre, queremos alabarte porque nos das tu Palabra, que es vida para nuestra alma. Tu Palabra es la verdad. Tu Palabra es nuestro alimento, alimento del espíritu. Tu Palabra renueva nuestra mente y coloca en nosotros la mente de tu Hijo Jesús. Tu Palabra es nuestra fortaleza. Tu Palabra es una luz que ilumina nuestra vida y nuestros pasos.

Tu Palabra es cura, perdón y reconciliación Contigo. Te alabamos, Padre, porque tu Palabra está muy cerca de nosotros, está en nuestro corazón y en nuestros labios. Te alabamos, Padre, porque tu Palabra es vida eterna, vida plena. Te alabamos, Padre, porque tu Palabra es sabiduría divina. ¡Oh, Padre!, tu Palabra nos hace más sabios que todos nuestros maestros. ¡Oh, Padre!, Te alabamos porque la Palabra es tu propio Hijo Jesús.

Jesús, hemos experimentado el poder de tu Palabra, que ha dado vida a nuestro espíritu, ha sustentado las fuerzas de nuestra alma y ha sido cura para nuestro cuerpo. Te alabamos porque Tú estás vivo y experimentamos tu poder de vida a través de tu Palabra. Te alabamos, Señor, porque tu Palabra es poder, es bendición, eres Tú mismo. Tú mismo presente en medio de tu pueblo, bendiciendo, sanando, salvando, liberando. Tu Palabra, Jesús, es la espada del Espíritu Santo, con la cual luchamos en el mundo espiritual y vencemos al maligno.

¡Oh, Señor!, cuán grande es el poder de tu Palabra; ¡Tú nos amas tanto a través de ella!

Ahora, Jesús, para que esta Palabra se haga cada vez más viva y eficaz en nuestra vida, concédenos, Señor, la plenitud del Espíritu Santo.

¡Ven, Espíritu Santo! Ven, Espíritu de Dios, en nombre de Jesucristo, ven a nuestro corazón.

¡Oh, Señor!, Tú tienes el poder de generar vida en nosotros; cuántos de nosotros estamos como huesos resecos, pero esperamos que Tú vengas, Espíritu Santo de Dios, y soples sobre nosotros, para que venga la carne y la vida, como dice tu Palabra por el profeta Ezequiel (ver Ez 37,5-6). ¡Danos la vida, la vida en comunión con Dios!

Espíritu Santo de Dios, ven, quema y deshaz todas las tinieblas que existen dentro de nosotros, porque Tú eres luz. Espíritu Santo de Dios, ven y haz viva tu Palabra para nosotros. Concédenos un amor inmenso a la Palabra de Dios. Concédenos una obediencia plena a la Palabra y que ella transforme nuestra vida. Ven, Espíritu Santo, para que, por la fe, podamos tomar posesión de cada promesa escrita en la Biblia. ¡Ven, Espíritu Santo de Dios, a vivificarnos! ¡Ven, Espíritu Santo!

Jesús, Tú dijiste: *"Venid a mí todos los que estáis fatigados y agobiados, yo os aliviaré"* (Mt 11,28). Señor, queremos también orar e interceder por todos aquellos que están enfermos del alma o del cuerpo y por todos aquellos que, en este momento, están unidos a nosotros en oración. Tú puedes actuar en el cuerpo, en el alma y en el espíritu. Tócanos, Señor, tócanos ahora. Nos entregamos a Ti tal como somos, pecadores, débiles, enfermos, pero llenos de fe, de confianza y de esperanza, porque Tú eres el Dios vivo y Tú puedes hacer venir la vida a nuestra alma, a nuestro cuerpo, a nuestro espíritu.

Por esto, Señor, con toda confianza Te adoramos, Te bendecimos y Te proclamamos: ¡Santo, santo, santo y Señor de nuestra vida!

Jesús, creemos que tu poder infinito nos está liberando ahora de todo yugo que satanás haya puesto en nuestra vida, y que él no tendrá ya dominio sobre nosotros, porque Tú lo has vencido en tu cruz En Ti somos vencedores por tu Palabra y tu Sangre, que podemos proclamar contra todo mal y contra toda celada.

¡Oh, Padre eterno, cuán grande es tu amor por nosotros! ¡Cuánto Te amamos y Te agradecemos por Jesucristo, nuestro Señor!

Amén y amén.

OTRAS PUBLICACIONES

Rabboni y **Jesús Te Ama** son libros de oración y meditación, pautados en la Palabra de Dios. En ellos se abordan temas que te llevarán a obtener más paz, alegría, amor, cura física y espiritual, perdón, bendición, salvación, fe en Jesús y vida en plenitud.

Regis Castro

Regis Castro y Maïsa Castro

Una Visita de Jesús para Usted (Raquel) se escribió para Ud., mujer que ama, lucha, trabaja y sufre por su felicidad y la de su familia. Dios le da ahora una oportunidad de salvación; quizás nunca más surja otra ocasión como ésta.

Regis Castro y Maïsa Castro

Curación a través de la Bendición
(Bendición sobre bendición)
En este libro aprenderás a entrar en posesión de la Palabra de Dios. Aprenderás también la oración de la fe que mueve la mano de Dios.

Regis Castro y Maïsa Castro

Raïssa es un libro que emociona bastante no sólo por su contenido, sino por la poesía que brota de sus líneas. El espíritu de los personajes se proyecta de tal manera que es imposible no quedar marcado por ellos.

Regis Castro

Rosario de la Liberación se basa en la Palabra de Dios y debe rezarse con fe para glorificar el nombre poderoso de Jesucristo y pedirle la cura, la salvación y la liberación.
Regis Castro y Maïsa Castro

Perseverar en el Amor de Dios indica el camino para eso y las bendiciones que Dios derrama en la vida de quien en Él persevera con confianza y fidelidad.
Maïsa Castro

Libro de la Familia – cura y salvación para ti y tu familia presenta algunas de las armas poderosas para ser utilizadas contra las fuerzas espirituales del mal, que destruyen tu vida y la de tu familia.
Regis Castro y Maïsa Castro

Amor Eterno presenta la solución que Dios ofrece para todos los problemas del noviazgo, del casamiento y de la familia.
Regis Castro y Maïsa Castro

Jesús Es Mi Amigo es justamente para que usted conozca más sobre el poder de cura, salvacion y liberación que está en el nombre de Jesús y en Su Palabra.
Regis Castro y Maïsa Castro

Jesus Quiere Sanar Su Vida fue inspirado en proclamaciones de la Palabra de Dios hechas por los autores en el decurso de su ministerio de evangelización que exercen a través de programas de radio, de grupos de oración, de encuentros, de retiros espirituales, etc.
Regis Castro y Maïsa Castro

La Mano Poderosa de Jesus en Mi Corazón

El primer capítulo de este libro podrá ayudarlo a entregarse a Jesucristo y a sentir intensamente el amor de Dios por usted. Los demás capítulos también tienen, por objetivo, llevarlo a una experiencia personal del poder transformador de Dios en su vida.
Regis Castro y Maïsa Castro

Las Manitos de María

Este libro es escrito para personas que caen y quieren levantarse, por la gracia y misericordia de Dios, a través de Jesucristo y Su Madre, María.
Regis Castro

Alabanza – Ping-Pong

Esta alabanza, además de su objetivo principal, que es exaltar a nuestro Dios, enseña a todos, desde el niño hasta el anciano, a alabarLe con el corazón, con simplicidad por cada cosa y así cumplir Su Palabra.
Regis Castro y Maïsa Castro

Consejos de Dios para Ti

En este libro las mensajes de los Proverbios son separadas en capítulos con temas para la vida espiritual, familiar, social, profesional, etc.

Regis Castro, org.

Libro de la Misericordia Divina, Libro de la Alegría y Libro del Perdón son libros de oración.

Es bueno que usted los lea – en oración – lentamente, meditando bien el sentido de cada versículo y asimilando su contenido a través de la fe. Así, la Palabra de Dios, acogida en su corazón es vivenciada por la acción del divino Espíritu Santo y dará fruto en su vida.

Regis Castro, org.

Raïssa Castro Oliveira, org.

Oraciones de Poder

En este libro usted encuentra oraciones de cura física e interior, de liberación, para cortar maldiciones, de autoridad en el nombre de Jesús, etc.

Maïsa Castr y Raïssa Castro Oliveira, org.